Y DAITH

Y DAITH

Straeon i ddysgwyr gan ddysgwyr

Argraffiad cyntaf: 2022

Cynllun y clawr: Sion Ilar

Rhif Llyfr Rhyngwladol: 978 1 80099 225 2

Dymuna'r cyhoeddwyr gydnabod cymorth ariannol Cyngor Llyfrau Cymru yn ogystal â chydweithrediad Eisteddfod Genedlaethol Cymru a'r Ganolfan Dysgu Cymraeg Genedlaethol.

Cyhoeddwyd ac argraffwyd yng Nghymru
ar bapur o goedwigoedd cynaliadwy gan
Y Lolfa Cyf., Talybont, Ceredigion SY24 5HE
e-bost ylolfa@ylolfa.com
gwefan www.ylolfa.com
ffôn 01970 832 304
ffacs 01970 832 782

Cynnwys

Cyflwyniad

Ysgrifennwyd y storïau yma yn wreiddiol fel prosiect wnes i ei arwain o'r enw 'Creu Drwy'r Covid' yn ystod haf 2020, gyda chefnogaeth Llenyddiaeth Cymru. Y syniad oedd rhoi cyfle i Ddysgwyr ysgrifennu'n greadigol yn ystod y Cyfnod Clo.

Dros chwech wythnos, daeth deg awdur awyddus at ei gilydd ar-lein mewn gweithdai ysgrifennu. Roedd hi'n bleser gweithio efo'r criw, trafod syniadau am ysgrifennu stori fer a darllen eu gwaith.

Dw i mor falch bod eu straeon yn mynd i weld golau dydd yn y llyfr yma. Diolch i'r Lolfa (a Meleri Wyn James yn arbennig) am eu ffydd yn yr awduron newydd yma, ac i Helen Prosser a Huw Meirion Edwards am olygu'r elfen ieithyddol mor ofalus. Diolch i Eiry Miles hefyd am ei chymorth.

Diolch i'r Dysgwyr am fynd â ni ar daith i lefydd gwahanol. Gobeithio byddwch chi'n mwynhau teithio efo nhw.

Mared Lewis
Awdur a thiwtor Cymraeg
Mai 2022

Bywgraffiadau

Angela Yeoman

Mae **Angela Yeoman** yn byw yng Nghaerdydd, ond mae hi'n dod o Bontarddulais yn wreiddiol. Mae hi'n athrawes ac mae gynni hi bedwar o blant a dau o wyrion. Ei diddordebau ydy cerdded, cerddoriaeth a materion cyfoes.

Janine Hall

Mae **Janine Hall** yn byw ym Mlaenau Ffestiniog, ond mae hi'n dod o Blackpool yn wreiddiol. Mae gynni hi radd MA mewn Astudiaethau Byddar ac mae hi'n rhugl yn Iaith Arwyddion Prydain (BSL). Mae gynni hi 'obsesiwn' efo cerddoriaeth Gymreig, ac mae hi wrth ei bodd efo mynyddoedd a ioga. Mae hi'n awtistig.

Sarah Hattle

Mae **Sarah Hattle** yn byw yng Nghoed y Brenin ger Ganllwyd. Mae hi'n dod o St Albans yn wreiddiol ac mae hi wedi teithio llawer oherwydd ei gwaith yn y Llynges Frenhinol (The Royal Navy). Ers 2021, mae hi'n rheolwr prosiect i elusen Help for Heroes. Mae hi'n hoffi mynd allan yn yr awyr iach a threulio amser gyda'r teulu a'u tri ci. Mae hi'n rhedeg y clwb beicio mynydd yng Nghoed y Brenin.

Monty Slocombe

Mae **Monty Slocombe** yn byw yn Hen Golwyn ac yn wreiddiol

o Wlad yr Haf (Somerset). Mae o wedi byw mewn llawer o leoedd: yn Cyprus (gyda'r fyddin), yn Lerpwl a gogledd Cymru (gyda'r heddlu) ac yn Ffrainc (ar ôl ymddeol 30 mlynedd yn ôl). Ond roedd bob tro yn dychwelyd i Gymru. Ei brif ddiddordebau ydy darllen, dysgu ieithoedd, cerdded yng nghefn gwlad, ysgrifennu a threulio amser gyda theulu a ffrindiau – a mwynhau peint bach weithiau.

Julie Pearce

Mae **Julie Pearce** yn byw yn Aberbechan ger y Drenewydd. Mae hi'n dod o Swydd Henffordd (Herefordshire) yn wreiddiol a chafodd hi ei magu ar fferm yn Surrey. Roedd hi'n was sifil yn San Steffan am ugain mlynedd, ond mae hi'n rhedeg busnes cabanau gwyliau ers deng mlynedd. Mae hi'n mwynhau teithio o gwmpas Cymru yn Nessa, y camperfan. Mae gynni hi ddiddordeb mewn byd natur.

Kevin Ellis

Mae **Kevin Ellis** yn byw ym Morfa Nefyn ac yn dod o Sheffield yn wreiddiol. Mae o'n falch iawn o'i wreiddiau yn Swydd Efrog. Ficer ydy o mewn eglwysi ar Ynys Môn ac mae o wrth ei fodd yn dysgu Cymraeg. Mae gynno fo ddau gi: y Tad Ted a'r Tad Jac, felly mae o allan yn cerdded am oriau bob dydd.

Clare Brathmere

Mae **Clare Brathmere** yn byw yn Llanddulas ger Abergele, ond cafodd hi ei geni yn Lloegr mewn pentref ger Caer. Symudodd hi i Gymru pan oedd hi'n naw mlwydd oed a symud yn ôl i Loegr yn 36 oed oherwydd ei gwaith fel rheolwr traffig awyr.

Ers ymddeol i Gymru bedair blynedd yn ôl, mae hi'n mwynhau hwylio cwch bach yn y môr yn lleol. Mae hi hefyd yn mwynhau materion cyfoes a mynd i siopau coffi i sgwrsio efo ffrindiau yn Gymraeg.

Colin Hughes

Mae **Colin Hughes** yn byw yng Nglyn Garth ar Ynys Môn. Cafodd o ei eni yn Llanelwy a'i fagu ym Magillt, Sir y Fflint. Roedd yn Athro Microbioleg ym Mhrifysgol Caergrawnt am dros 30 mlynedd. Fel gwyddonydd, teithiodd i bob man, a gweithio yn Awstria, yr Almaen a'r Unol Daleithiau. Mae o'n mwynhau gwella ei Gymraeg a'i Almaeneg. Mae o'n hoffi ffilmiau ac ysgrifennu storïau ac mae o wrth ei fodd efo rygbi.

Sue Hyland

Mae **Sue Hyland** yn byw yn Llidiart-y-waun ger Llanidloes, ond mae hi'n dod o Staffordshire, Lloegr yn wreiddiol. Roedd hi'n stiwardes ac, ar ôl cael plant, yn gweithio mewn ysgol i blant ag anghenion ychwanegol. Ei phrif ddiddordeb yw dysgu, darllen a sgwennu Cymraeg, ond mae hi'n hoffi hanes, gwylio adar a mynd i weld cestyll hefyd. Cyn y clo cyntaf, roedd hi wedi prynu telyn ac mae gynni hi *repertoire* bach erbyn hyn.

Tedy Lewis

Mae **Douglas 'Tedy' Lewis** yn byw ym Mhatagonia, yr Ariannin, mewn tre o'r enw Trelew. Mae o'n astudio mewn prifysgol ryngwladol yn San Francisco. Fuodd o'n aros yng Nghymru yn y Cyfnod Clo. Doedd o ddim yn cael mynd adre oherwydd Covid. Felly, fuodd o'n cadw'n brysur ar y cwrs 'Creu Drwy'r Covid' ac yn mwynhau ysgrifennu.

Y Daith
Angela Yeoman

'Esgusodwch fi, ydy'r sedd hon yn wag?'

Hwn oedd y trên olaf ar brynhawn oer. Roedd yn llawn myfyrwyr a gweithwyr yn mynd yn ôl i'r brifddinas ar ôl y penwythnos. Roedd hi'n anodd iawn ffeindio sedd ar y trên. Edrychais i fyny. Roedd dyn ifanc, tua ugain oed, gyda gwallt du cyrliog yn sefyll ar fy mhwys i. Sylwais i yn syth ar ei wên enfawr oedd yn dangos ei ddannedd perffaith, gwyn. Roedd e'n edrych yn gyfeillgar ond yn **anghyfforddus** hefyd.

'Americanwr,' meddyliais, yn teimlo ychydig yn grac. 'Dyna'r cyfan dw i angen. Americanwr siaradus gyda dannedd gwyn iawn, yr holl ffordd o Fangor i Gaerdydd!'

Roeddwn i'n fyfyrwraig MA ar y pryd ac eisiau gorffen fy nhraethawd hir hwyr ar y trên, ond doedd hynny ddim yn **debygol** iawn nawr!

Yn lle dangos mod i ddim yn hapus, atebais yn gwrtais: 'Wrth gwrs' a symud yn bellach tuag at y ffenest. Edrychais i lawr ar fy ffôn er mwyn dangos fy mod i ddim eisiau siarad.

Doedd dim gobaith nawr i mi orffen fy nhraethawd hir oherwydd doedd dim digon o le i **fy ngliniadur**. 'Damo!' meddyliais.

Felly, codais i fy llyfr dysgu Cymraeg i osgoi siarad. Ond yn

anghyfforddus – *uncomfortable*	tebygol – *likely*
fy ngliniadur – *my laptop*	

anffodus, lwyddais i ddim. Sylwodd y dyn ar y llyfr, a **goleuodd** ei wyneb.

'Dych chi'n dysgu Cymraeg? Fi hefyd!' Roedd e wrth ei fodd, ac aeth ymlaen i ddweud ei fod yn hoffi'r iaith yn fawr iawn. Roedd e'n siarad Cymraeg bron yn rhugl, a sylwais i ar ei lygaid yn **sgleinio**! Roedd rhywbeth gwahanol amdano fe pan oedd e'n siarad Cymraeg.

'Wow – ble wnest ti ddysgu'r iaith?' gofynnais, yn fwy cyfeillgar. Fel Dysgwr arall, roedd e fel cyd-weithiwr, neu ffrind nawr, un oedd yn deall **heriau** dysgu Cymraeg. Rhywun oedd wedi brwydro, fel fi, gyda'r idiomau a'r treigladau amhosib, ond oedd wedi **goroesi**!

'Yn America,' atebodd. 'Yn **Efrog Newydd**. Roeddwn i'n arfer mynd, yn fachgen bach, i gapel Cymraeg yn ninas Efrog Newydd gyda fy nhad-cu.'

Creodd hyn gymaint o argraff arna i. Roeddwn i nawr yn **llawn edmygedd** o'r dyn hwn. Roedd e wedi dysgu'r iaith yn America – anhygoel! Ond pam?

'Mae'n stori hir,' atebodd yn fyr, ond gan esbonio bod ei dad-cu yn dod o ogledd Cymru yn wreiddiol a dyma'r rheswm iddo ddod i'r ardal y flwyddyn hon.

Ond roedd hi'n amlwg nad oedd e am ddweud mwy.

Ar ôl hynny, siaradon ni am bopeth. Esboniais i mod i'n astudio ieithoedd yn y coleg ac wedi gweithio yn Ewrop am

goleuo – *to light up*	sgleinio – *to shine*
her(iau) – *challenge(s)*	goroesi – *to overcome, to survive*
Efrog Newydd – *New York*	llawn edmygedd – *full of admiration*

ddwy flynedd i wella fy **sgiliau** iaith. Esboniais i mor hyfryd oedd hi i dreulio'r haf gyda fy nheulu a fy ffrindiau, yn enwedig gan nad oeddwn wedi gallu fforddio mynd adref yn ystod fy amser yn Ewrop. Siaradais i hefyd am sut oeddwn i'n **difaru** nad oeddwn i wedi gwneud mwy o waith coleg yn ystod y gwyliau yn lle cael hwyl.

Siaradodd e am ei gwrs **Peirianneg** yng Ngholeg Barnard, Prifysgol Colombia ac am ei ffrindiau yn y coleg. Roedd hi'n amlwg nad oedd yn frwd am ei gwrs, ac roedd e wedi dewis y cwrs hwn heb feddwl.

Roedd e 'mor **genfigennus** fy mod i'n astudio ieithoedd, ac yn gallu bod yn rhan o fywydau a diwylliant pobl dros y byd,' meddai'n frwd.

'Doedd hi ddim yn teimlo fel 'na yn ystod y ddwy flynedd ddiwetha,' meddyliais, a chofio i mi symud o un swydd â chyflog isel i un arall yn Ewrop.

Esboniais i mor anodd oedd hi i ennill digon i fwyta, yn enwedig yn Ffrainc, pan oeddwn i'n gobeithio dysgu Saesneg. Sylweddolais i yn fuan fod bron pawb yn Ffrainc yn gallu siarad Saesneg yn barod, felly dechreuais i gasglu ffrwythau.

Ond wnes i ddim difaru **fy newis gyrfa**, esboniais: 'Taswn i'n gyfoethog ac yn llwyddiannus, faswn i ddim yn teithio ar docyn rhad, ar drên llawn ac yn cwrdd â phobl ddiddorol fel ti,' **ychwanegais** yn **tynnu coes**.

sgil(iau) – *skill(s)*	difaru – *to regret*
Peirianneg – *Engineering*	cenfigennus – *jealous*
dewis gyrfa (fy newis gyrfa) – *(my) chosen career*	
ychwanegu – *to add*	tynnu coes – *to joke (literally: to pull a leg)*

Ond wnaeth e ddim chwerthin. Eto sylwais ar rywbeth trist yn ei lygaid, rhywbeth anghyfforddus.

Efallai fod cariad neu wraig yn America, meddyliais – plant hyd yn oed! Pwy sy'n gwybod? Roedd rhywbeth **dirgel** iawn amdano fe. Ar ôl i mi ddweud stori fy mywyd i, gofynnais iddo fe am ei deulu. Yn sydyn, diflannodd y wên.

'I gyd wedi marw,' dwedodd **yn ddi-lol**. 'Mewn damwain car – fy mai i oedd o.'

Roedd e'n edrych yn drist ac yn anghyfforddus.

Roeddwn yn grac wrthyf fy hun am fod mor **chwilfrydig**, a cheisiais newid y pwnc. Trwy lwc ar y foment honno, cyrhaeddodd y troli coffi ac fe archebon ni ddiodydd.

Prynodd Tod *croissant* hefyd, a'i roi i fi, gan ddweud **yn feddylgar**,

'Achos doedd dim digon o arian gyda chi i brynu un yn Ffrainc.'

Gwrthodais i ei fwyta i gyd, felly torrodd e'r *croissant* a rhoi hanner i fi.

Ar ôl hyn, roedden ni'n siarad ac yn chwerthin drwy'r amser. Roeddwn i mor gartrefol yng nghwmni'r **dieithryn** hwn fel fy mod i bron yn flin bod y daith yn mynd i ddod i ben yn fuan.

Yn sydyn, roedd sŵn **sgrechian**, fel sŵn brêcs y trên yn arafu. **Ochneidiais** wrth edrych allan drwy'r ffenest. Roedd hi'n

dirgel – *mysterious, secretive*	yn ddi-lol – *without fuss*
chwilfrydig – *curious*	yn feddylgar – *thoughtfully*
dieithryn – *stranger*	sgrechian – *to scream*
ochneidio – *to sigh*	

tywyllu erbyn hyn ac yn bwrw glaw. Roeddwn yn gobeithio nad oedd problem ac na fasai'n rhaid i ni aros am hir, neu symud i drên arall.

Safodd Tod a dweud ei fod yn mynd i weld beth oedd y broblem, gan fy ngadael i'n meddwl: 'Oedd e i fod i ddal trên arall yng Nghaerdydd neu oedd e'n aros yn y brifddinas am sbel?'

Sylweddolais i wedyn nad oedd e wedi dweud wrtha i am ei gynlluniau yng Nghaerdydd, er ein bod ni wedi sgwrsio am oriau. Roedd hynny'n rhyfedd iawn

Yn fuan, cychwynnodd y trên eto, ond ddaeth Tod ddim yn ôl. Aeth awr heibio ond doedd dim sôn amdano fe.

'Oedd e wedi gadael a mynd i eistedd yn rhywle arall?' meddyliais. 'Efallai ei fod e wedi cael llond bol ar y fyfyrwraig siaradus hon ac eisiau ychydig o dawelwch.'

Ond doedd hynny ddim yn debygol, oedd e? Roedd e wedi mwynhau sgwrsio a chwerthin. Edrychais o gwmpas am ei fagiau ond sylweddolais yn anghyfforddus nad oeddwn i wedi ei weld e gydag unrhyw fagiau o gwbl.

Gan fod y trên i fod i gyrraedd Caerdydd yn fuan, roeddwn i'n dechrau mynd i banig nawr.

Y funud honno, cyrhaeddodd y gard a fy ngweld i'n edrych **yn bryderus**. Roedd e'n meddwl fy mod i'n ofnus oherwydd bod y trên wedi stopio mor sydyn yn gynharach. Felly, dechreuodd e **fy nghysuro** i drwy ddweud bod problem fach, ond problem fach â'r trên oedd hi, dim byd i boeni amdano. Ond pan esboniais i y rheswm go iawn pam mod i'n bryderus, gan ddweud wrtho fe am Tod Whitman, yr Americanwr ifanc oedd wedi diflannu

---

yn bryderus – *worried* cysuro (fy nghysuro) – *to comfort (me)*

ers awr, edrychodd y gard arna i fel taswn i'n **wallgof**. Yna ar ôl ychydig, edrychodd yn fwy caredig. Gwenodd e arna i, ac ychwanegu,

'Dych chi newydd ddeffro? Mae wedi bod yn daith hir. Mae'n rhaid eich bod chi wedi cysgu a breuddwydio am Tod Whitman, yr Americanwr ifanc a laddodd ei hun. Wrth gwrs, mae pawb yn cofio'r digwyddiad trist.'

Wedyn ar ôl edrych ar ei wats, aeth ei wyneb yn wyn, ac ychwanegodd yn dawel,

'Blwyddyn yn ôl i heddiw, neidiodd o'r trên hwn. Buodd ei deulu e farw mewn damwain car. Fe oedd yn gyrru. Roedd e'n **beio** ei hun, druan ag e.'

Edrychais ar y sedd wag a syllu ar yr hanner *croissant* roedd e wedi ei adael ar ei ôl. Wedyn agorais fy ngliniadur a dechrau ysgrifennu:

'Mae yna adegau yn fy mywyd pan dw i wedi teimlo bod angel ar fy ysgwydd yn gwylio drosof.'

---

gwallgof – *mad*　　　　beio – *to blame*

Mam Fach Fi
Janine Hall

Dw i isio esbonio rhywbeth yn gyntaf. Cyn i mi ddechrau. Dw i'n ei charu hi **mwy na'r byd i gyd yn grwn**. Mae hynny'n hollol wir. Heb air o gelwydd. Ond mae hi mor blydi annifyr! Rili!

Dros yr wythnosau diwethaf, dw i'n meddwl ei bod hi'n **ei cholli hi**. Mae hi'n dysgu Cymraeg, ti'n gweld. Mae hynny'n grêt. Cymraeg ydy fy iaith gyntaf i. Cymraeg! Dydy hi ond yn dysgu Cymraeg achos fi. O, sori. Anghofiais i gyflwyno fy hun. Mair dw i. Dw i'n byw mewn tref fach yng ngogledd Cymru. Efo fy mam. Ac ar hyn o bryd, fel dwedais i, mae hi'n gyrru fi'n nyts!

Mae hi'n **awtistig**, ti'n gweld. Fy mam. Dydy hi ddim yn dwp, dim o gwbl, dim mewn unrhyw ffordd. Ond mae gynni hi ddiddordebau arbennig, fel pawb awtistig. Dim ond un peth sy'n mynd â'i sylw hi ar y tro, ac mae hi'n methu peidio meddwl am y peth hwnnw.

Dechreuodd e gyda band y Super Furry Animals. Aeth hi'n NYTS amdanyn nhw a'u dilyn nhw o gwmpas y wlad am flynyddoedd. Mae pobl eraill yn mynd i un gìg. Dim fy mam i.

---

mwy na'r byd i gyd yn grwn – *more than anything (literally: more than the whole round world)*

ei cholli hi – *to lose it (the mind)*   awtistig – *autistic*

Roedd hi'n meddwl ei bod hi ar daith efo nhw hefyd. Roedd hi'n fy ngadael i efo pobl eraill. **Esgeulustod**, dw i'n siŵr. Mae hynny i gyd wedi dod i ben. Dw i'n siŵr bod y Super Furries mor hapus am hynny! Does dim **stelciwr** rhyfedd yn eu dilyn nhw o gwmpas.

Beth bynnag, ymlaen â ni. **Cymraeg amdani** eleni! Mae hynny'n meddwl mai dyna'r unig beth bydd hi'n meddwl amdano. Dim byd arall! Dim hyd yn oed fi. Wel. Ocê, dw i'n **gor-ddweud** ychydig bach, ond mae'n wir. Mae hi'n anghofio am fwyd. Fy mwyd i! Dydy hi ddim yn cysgu'n iawn ac mae llyfrau o gwmpas ei gwely hi ym mhob man. Llyfrau Cymraeg i gyd. Dw i ddim yn siŵr beth i'w wneud – chwerthin neu grio! Ro'n i'n arfer mynd i'r gwely efo hi a rhoi cwtsh iddi hi. Mae hynny'n amhosib rŵan, does gen i ddim siawns o gwbl!

Dydy hi **ddim yn ddrwg i gyd**. Dw i wedi bod yn chwerthin am ei phen hi yn aml dros yr wythnosau diwetha. Mae hi'n cael trafferth dallt 'hwn', 'hon' a 'hynny'. Mae'n syml i mi achos mai Cymraeg ydy fy iaith gyntaf i. Mae hi'n defnyddio fi fel esiampl trwy'r amser, mae'n blydi niwsans! Fel taswn i ond yn fyw er mwyn ei dysgu hi pryd i ddweud 'hon'.

Ar hyn o bryd, dw i'n medru ei chlywed hi yn y wers Gymraeg. 'OK – tasai Mair yn yr ystafell efo fi, fasai hi'n "hon"?' meddai hi. 'A tasai hi yn yr ystafell arall? Be tasen ni'n mynd i fyny mynydd, ac yn ei cholli hi, faswn i'n dweud "hwnna" neu "honna", neu "honno"? Mair, tyrd yma, tyrd yma! Iawn, mae hi efo mi rŵan.

esgeulustod – *neglect*	stelciwr – *stalker*
Cymraeg amdani – *to go for it by learning Welsh*	
gor-ddweud – *to exaggerate*	ddim yn ddrwg i gyd – *not all bad*

Reit, ti'n medru ei gweld hi, dw i'n medru ei gweld hi. Ydy hi'n "hon" i fi, ond "honna" i chi? Ydy hi'n "honna" i chi?' meddai hi'n gyflym wrth ei hathrawes Gymraeg, bechod.

Mae'r athrawes yn gwenu'n annwyl arna i. Dw i'n siŵr ei bod hi'n meddwl y dylai hi ffonio llinell gymorth ar fy rhan i. Esgeulustod ydy esgeulustod, hyd yn oed pan wyt ti'n ei weld o yn dy waith, drwy Zoom.

Yn y pen draw mae fy mam yn cofio amdana i. 'Wna i wneud cinio i ti mewn munud, blods,' meddai hi. O, dw i wrth fy modd, dw i'n meddwl, **yn goeglyd**. Mae hi'n gwneud fy nghinio i yn gyflym iawn ac mae hi mwy neu lai yn ei daflu ata i. Mae hi'n rhoi cusan i mi ar fy mhen ac yn dweud, 'Reit, mae gen i gyfarfod "Say Something in Welsh" rŵan. Fyddi di'n iawn?' Does gen i ddim dewis, dw i'n meddwl, wrth iddi baratoi ar gyfer y peth Cymraeg nesa.

Mae gynnon ni berthynas ryfedd, fy mam a fi. Dw i wedi cael fy mabwysiadu, ti'n gweld. Dan ni'n byw ym Mlaenau Ffestiniog, ond dw i'n dŵad o Fethesda yn wreiddiol. Weithiau, dw i'n meddwl, ddylwn i ofyn am gael symud! Dim rili. Mae hi'n boncyrs, ond mae hi'n olreit. (Ac mae gen i **broblemau ymddygiad**, a bod yn onest.) Dw i ddim yn siŵr pwy arall fasai'n fy nghael i!

Mae car yn cyrraedd. Mae Mam yn edrych drwy'r ffenest.

'Oooh, pwy sy 'na? Aaah, Betty sy 'na. Mae gen i "lefrith" i'w roi iddi hi. Un funud. **Byhafia**, Mair,' meddai hi. (Mae Betty yn byw drws nesa.) 'Fydda i ond un funud fach.'

---

yn goeglyd – *sarcastically*

problemau ymddygiad – *behavioural problems*

byhafia – *behave*

Iawn, siŵr, dw i'n meddwl, mwy fel ugain munud! Siarad, siarad, siarad Cymraeg eto! Gofyn cwestiynau i Betty, druan, fydd hi. 'Be ydy hyn yn y Gymraeg, be ydy hwn yn y Gymraeg?' I ffwrdd â hi. Drwy'r drws. Fel **corwynt**!

Dw i'n gweld fy nghyfle. Dw i'n neidio ar y gwely. Dw i mor ddiflas. Dw i jest angen mynd allan o'r fflat yma. Dw i'n tynnu'r **gorchudd** o'r gwely, yn taro'r llyfrau i gyd i'r llawr. Ha, ha – mae hyn yn hwyl, dw i'n meddwl wrtha i fy hun. Yn llawn **drygioni** ac adrenalin, dw i'n mynd i'r gegin. Fel arfer, mae'r cypyrddau ar gau o fy achos i. Ond heddiw mae fy mam wedi gadael drws y gegin a chwpwrdd ar agor **yn ei hast** i fynd drwy'r drws. Dw i'n **palu** trwy'r cwpwrdd ac yn tynnu popeth allan. Dw i wrth fy modd yma!

Fedra i ei chlywed hi'n siarad tu allan. Dyma lle mae hi'n cadw ei phethau gwneud cacen i gyd. **Siwgr mân**, ha! Dw i'n tynnu'r paced allan ac mae 'na siwgr ar hyd y llawr. Fydd hi'n mynd yn boncyrs. Ond dw i ddim yn poeni erbyn hyn. Dw i'n llawn egni a dw i'n teimlo'n fyw. Dw i'n dechrau bwyta'r siwgr mân. Dw i'n tynnu'r **marshmalws** allan. A'r jeli. Dw i'n tynnu popeth allan o'r cwpwrdd a dw i'n mynd i ddechrau bwyta pan mae hi'n dod yn ôl i mewn. Dydy hi ddim yn fy ngweld i yn y gegin i ddechrau. Mae hi'n mynd yn ôl i mewn i'r ystafell wely. 'O, Mair, na!' mae hi'n gweiddi. 'Be wyt ti 'di wneud? Ddim eto! Lle wyt ti?'

corwynt – *whirlwind*	gorchudd – *cover*
drygioni – *mischief*	yn ei hast – *in her haste*
palu – *to dig*	siwgr mân – *caster sugar*
marshmalws – *marshmallows*	

Dw i'n dechrau **crynu** yn y gegin. Dw i'n medru clywed sŵn ei thraed yn dod yn agosach. Does unman i redeg. Does unman i guddio! Dw i'n meddwl wrtha i fy hun: 'Dw i ddim hyd yn oed wedi cael amser i fwyta. Dw i jest wedi gwneud llanast ar y llawr!' Mae hi'n cerdded i mewn i'r gegin ac mae ei cheg yn agor yn fawr. 'O, Mair!' meddai hi. 'Mae'n rhaid i ni fynd â thi yn ôl at yr **arbenigwr ymddygiad**. Beth sy'n bod arnat ti?'

Dw i'n edrych i fyny arni hi, gan obeithio y bydd hi'n **cymryd trueni** drosta i! 'OK, OK,' meddai hi, 'geith fy Nghymraeg i aros. Reit, gad y llanast yma tan wedyn.'

Mae'n cerdded at y drws, ac yn nôl ei chôt a fy mhethau. Dw i'n rhedeg ar ei hôl hi, yn hapus fy mod yn cael mynd allan o'r diwedd. 'T'isio mynd am dro?' meddai wrth iddi hi godi **fy nhennyn**. O ie, un peth arall – ci dw i. Anghofiais i sôn am hynny. Rhaid i mi fynd! Mae'r mynyddoedd yn galw! 'Dw i'n rhydd! Wff Wff!' dw i'n gweiddi. Cyn i mi godi fy hoff bêl a rhedeg am y drws, dw i'n cyfarth yn frwd.

---

crynu – *to shake*

arbenigwr ymddygiad – *behavioural expert*

cymryd trueni – *to take pity*

tennyn (fy nhennyn) – *(my) dog lead*

Y Twll
Sarah Hattle

Roedd Teilo yn gorwedd ar y flanced, ei ben ar y glustog, pan glywodd y ffôn. Dihunodd ar unwaith. Heb agor ei lygaid ceisiodd wrando. Doedd o ddim yn medru clywed y sgwrs. Yn ddistaw, ddistaw iawn mi wnaeth o symud ychydig, yn gyntaf ei ben... Roedd o'n gallu clywed llais Mam ond ddim y geiriau.

Symudodd yn araf i lawr y gwely yn fwy agos at y drws. Llais Dad rŵan. Doedd o'n dal ddim yn medru clywed yn glir, dim ond **tôn** llais Dad. Nesaf, sŵn Mam ar y grisiau. Yn sydyn, ond yn dawel, symudodd Teilo yn ôl at y flanced a gorwedd i lawr. Roedd ei ystafell wely **yn dywyll fel bol buwch**. Un darn bach o olau o dan y drws. Agorodd Mam y drws. Edrychodd hi ar Teilo. Roedd o'n dawel iawn, fel tasai o'n cysgu'n drwm. Roedd o'n gallu ei h**arogli** hi, wedyn teimlo'r sws fach ar ei dalcen. Roedd o'n ddiogel rŵan, meddyliodd. Mi allai o anghofio am yr alwad ffôn. Doedd o ddim isio clywed y sgwrs, ac eto...

Amser brecwast, y bore wedyn, roedd popeth yn normal. Llawer o sŵn, llawer o lanast. Doedd Dad a Mam ddim yn trio siarad â'i gilydd heb i'r plant glywed. Doedd Teilo ddim yn siŵr,

---

tôn – *tone*

yn dywyll fel bol buwch – *pitch black*
(literally: as dark as the inside of a cow's belly)

arogli – *to smell*

ond basai pethau'n wahanol tasai rhywbeth wedi digwydd. On' basen nhw?

'Fedrwn ni fynd i weld Nain heddiw?'

'Dwn i ddim,' atebodd Mam, heb edrych. Edrychodd Teilo ar Dad.

'Plis?'

'Ella,' meddai Dad yn syth. **Heb emosiwn** – doedd ei wyneb ddim wedi newid.

Pam oedd oedolion yn gwneud hynny – ateb heb ateb? Roedd Teilo yn **rhwystredig** rŵan. Roedd o **ar fin** gweiddi pan aeth Mam heibio. Rhoiodd hi ei llaw ar ei gefn, a rhoi sws fach ar ei ben.

'Os oes amser, cariad,' meddai hi'n garedig.

Gwisgodd Teilo'n gyflym. Roedd o isio mynd allan yn syth i orffen palu ei dwll. Dechreuodd balu'r twll efo'i frawd, ond roedd o wedi colli diddordeb. Roedd Teilo wedi gweithio'n galed iawn. Roedd o'n mynd at y twll bob dydd, i weld ei fod o'n iawn. Roedd Teilo isio dal llwynog. Roedd y twll yn ddwfn iawn. Gallai Teilo sefyll ynddo, mewn mwd hyd at ei frest. Ond doedd o ddim wedi dal dim byd, doedd o ddim wedi dal llwynog. Heddiw roedd gynno fo gynllun gwych i balu'r twll yn fwy dwfn. Rhedodd Teilo i lawr y grisiau yn gwisgo ei sanau. Aeth yn syth allan o'r drws heb stopio, heb i Mam neu Dad ofyn be oedd o'n wneud.

Roedd Teilo **ar waelod** yr ardd efo **rhaw** pan ganodd y ffôn eto. Doedd o ddim yn medru clywed y sgwrs.

heb emosiwn – *emotionless*	rhwystredig – *frustrated*
ar fin – *about to*	ar waelod – *at the bottom of*
rhaw – *spade*	

Gweithiodd Teilo ar y twll am oriau. Roedd y gwaith yn anodd rŵan. Roedd yn rhaid iddo fo sefyll yn y twll i balu. Ond pan oedd Teilo yn sefyll yn y twll doedd y rhaw ddim yn symud yn ddigon cyflym. Roedd y twll yn llenwi â mwd cyn iddo fo allu **cael gwared â** fo. Eisteddodd ar y gwair, ei goesau yn y twll, a meddwl: be nesa? Roedd hi'n boeth, yn rhy boeth i balu twll. Ella y basa fo'n medru llenwi'r twll efo dŵr a chreu pwll bach. Oedd llwynogod yn medru nofio? Doedd Teilo ddim isio i'r llwynog ddianc, ond doedd o ddim isio iddo fo **foddi** chwaith. Basai Mam yn gwybod.

Cerddodd Teilo at y tŷ i ofyn i Mam. Roedd yr haul yn boeth rŵan. Roedd Teilo ar frys i wybod oedd llwynogod yn medru nofio. Wedyn, meddyliodd: tybed fasai o'n medru cael loli? Daeth Teilo rownd cornel y tŷ, ond sylwodd o ddim bod y car wedi mynd. Agorodd y drws ffrynt a gweiddi:

'Mam!'

Doedd dim ateb.

Gwaeddodd yn uwch: 'Mam!'

Dim ateb o hyd.

Yn rhwystredig, ciciodd Teilo ei esgidiau i ffwrdd. Aeth yr esgidiau i mewn i'r cyntedd, gan hedfan.

'Mam, ydy llwynogod yn medru nofio?'

'Helô, Teilo. Dan ni ar fin cael cinio. Wyt ti isio bwyd?'

Dim llais Mam oedd hwn.

Mewn panig, edrychodd Teilo o gwmpas yr ystafell, yn trio dod o hyd i'r llais. Roedd ei frodyr a'i chwaer yn eistedd wrth y bwrdd yn dawel. Roedden nhw'n edrych yn ddigon hapus, doedd neb yn crio.

---

cael gwared â – *to get rid of* boddi – *to drown*

'Mam?' gofynnodd Teilo yn nerfus.

Cododd Mrs Thomas drws nesa ei phen o'r oergell.

'O Teilo, **sbia budr wyt ti!** Dos i fyny i molchi. Mi wna i ginio i ti,' meddai Mrs Thomas yn garedig.

'Dw i ddim isio cinio. Mae gen i gwestiwn pwysig i ofyn i Mam. Lle mae Mam?' gofynnodd Teilo.

'Fedra i helpu ti, Teilo, ond dos i molchi gynta,' meddai Mrs Thomas.

'Dim ond Mam sy'n medru helpu. Lle mae Mam?' gofynnodd Teilo eto, ei lais yn uwch. Doedd Teilo ddim yn deall pam oedd pawb arall yn bwyta fel arfer. Pam doedd neb arall yn poeni am Mam? Doedd hi ddim yn mynd heb ddweud dim byd. A be am Mrs Thomas? Roedd o'n dweud 'helô' dros ben wal wrthi hi, yn gofyn am y bêl yn ôl o'r ardd. Ond be oedd Mrs Thomas yn ei wneud yn y tŷ? Roedden nhw wedi gofalu am gath Mrs Thomas un tro. Ond pam oedd Mrs Thomas yn gofalu amdanyn nhw?

Safodd Teilo wrth y drws. Doedd o ddim yn gwybod beth i'w wneud. Rhedeg i ffwrdd neu fynd i fyny'r grisiau i olchi ei ddwylo? Wedyn, canodd ffôn Mrs Thomas.

'O, dyna ni, Teilo. Mam sy yno rŵan,' meddai Mrs Thomas efo gwên fawr.

Dim ond hanner y sgwrs glywodd Teilo.

'Ia... Ia... O, bechod...' wedyn, 'Paid â phoeni. Mae popeth yn iawn.'

Wnaeth Teilo dorri ar ei thraws: 'Ga i siarad efo Mam?' Rhuthrodd o tuag at y ffôn, ei freichiau allan. 'Mam! Mam!' gwaeddodd Teilo. 'Mae gen i gwestiwn. Mam!'

---

sbia budr wyt ti! – *look how dirty you are!*

Ond roedd Mrs Thomas wedi diffodd y ffôn yn barod.

'Fydd Mam adra cyn bo hir. Paid â phoeni, Teilo,' meddai Mrs Thomas.

Aeth Teilo allan heb ddweud dim byd arall. Rhuthrodd i waelod yr ardd ac yn ôl i'r twll. Neidiodd i mewn i'r twll. Eisteddodd yn y twll, ei bengliniau bron â **chyffwrdd** â'i glustiau. Efo'i gorff yn bêl fach fudr, meddyliodd Teilo am lawer o bethau... Pam oedd Mrs Thomas yn dweud 'paid â phoeni' wrth bawb? Poeni am be? Roedd Teilo yn dal i boeni am y llwynog – oedd o'n medru nofio? Roedd o isio bwyd rŵan. Dechreuodd feddwl am gynllun i fynd i mewn i'r tŷ heb i neb ei weld, heb i Mrs Thomas ei weld. Yna, clywodd y car. Cododd ei ben o'r twll i weld yn iawn. Dyna nhw! Rhedodd Teilo allan o'r twll yn gyflym iawn. Roedd o isio dangos y twll i Mam cyn iddi fynd i mewn i'r tŷ.

'Mam! Mam! Mam!' gwaeddodd Teilo wrth iddo fo redeg.

Trodd Mam ei phen. Wnaeth Teilo ddim sylwi ar ei hwyneb blinedig, ei llygaid coch. Wnaeth o ddim edrych arni o gwbl. **Gafaelodd yn** ei llaw hi a dechrau ei thynnu at y twll.

'Mam, ydy llwynogod...?' dechreuodd Teilo, ond mi wnaeth Mam dorri ar ei draws.

'Tyrd yma, cariad. Rho gwtsh i mi.'

Cerddodd Dad at y ddau ohonyn nhw ac **estyn** ei law. Gafaelodd Teilo yn llaw Dad. Efo Mam un ochr a Dad yr ochr arall, roedd o'n teimlo ar ben y byd. Rhoiodd wên fawr. Ar yr un pryd, agorodd y drws ffrynt a rhedodd y plant eraill allan. Arhosodd Mrs Thomas tu allan i'r drws a'i dwylo efo'i gilydd.

---

cyffwrdd – *to touch*	gafael yn – *to take hold of*
estyn – *to offer, to extend*	

Roedd ei phen yn plygu i un ochr. Roedd hi'n gwenu ond roedd ei llygaid yn drist. Doedd Teilo ddim yn nabod Mrs Thomas yn dda iawn. Roedd y foment wedi mynd ac roedd ei frodyr a'i chwaer yno. Tynnodd Teilo ei ddwylo oddi wrth Mam a Dad. Roedd o'n sefyll efo pawb, ond yn teimlo'n unig.

Ceisiodd Mam siarad efo Mrs Thomas ond ddaeth y geiriau ddim allan. Gwenodd Mrs Thomas eto, yr un wên drist. Nodiodd ei phen a gafael yn llaw Mam, wedyn rhoiodd hi gwtsh mawr i Mam. Cerddodd Dad atyn nhw a rhoi ei law ar ysgwydd Mam. 'Diolch,' meddai Dad ond mewn llais distaw.

Aeth Mrs Thomas adre heb ddweud dim. Welodd Teilo ddim ohoni hi yn troi i edrych arno fo cyn iddi frysio adre. Welodd o ddim ei llygaid coch, yn llawn dagrau. Roedd o'n rhy brysur yn edrych ar Mam. Roedd Mam yn crio rŵan. Doedd Teilo ddim yn gallu gweld ei hwyneb hi, ar ysgwydd Dad, ond roedd ei chorff yn crynu ac roedd o'n nabod y sŵn. Crio tawel.

Aeth brodyr a chwaer Teilo at Mam a Dad a sefyll mewn cylch bach. Doedd Teilo ddim yn medru symud. Mi wnaeth Dad estyn ei freichiau allan. Roedd y teulu i gyd mewn un cwtsh heblaw Teilo. Roedd brawd bach Teilo yn crio rŵan. Doedd Teilo ddim yn siŵr pam oedd o'n crio. Doedd neb wedi dweud dim byd. Dad siaradodd gynta. Doedd neb isio clywed y geiriau:

'Dw i'n flin iawn, blant. Bu Nain farw bore yma.'

Doedd Teilo ddim yn gwrando. Roedd o'n gwybod yn barod. Doedd dim angen clywed y geiriau. Roedd o wedi bod yn aros, yn ofni ers misoedd.

Yn sydyn, rhedodd Teilo yn ôl i'w dwll. Neidiodd yn syth i mewn. Roedd y mwd yn oer ar ei groen budr. Roedd o'n disgwyl crio ond doedd y dagrau ddim yn dod. Roedd yr haul wedi symud, yn cuddio y tu ôl i'r coed, ond yn gryf ac yn gynnes. Eisteddodd Teilo yn y twll yn gwylio'r awyr. **Glaniodd** robin goch ar goeden. Beth oedd pwynt y twll rŵan? meddyliodd Teilo. Doedd o ddim isio dal llwynog rŵan.

Neidiodd Teilo allan o'r twll a gafael yn y rhaw. Brysiodd i lenwi'r twll. Roedd yn haws ei lenwi na'i balu fo. Wedyn, taflodd o'r rhaw ar lawr a cherdded yn araf yn ôl i'r tŷ. Wrth iddo fo gyrraedd y tŷ daeth Mam rownd y gornel. Rhedodd Teilo at Mam a gafael ynddi hi. Roedd ei breichiau cynnes am ei ysgwyddau bach budr. Yna daeth y dagrau.

---

glanio – *to land*

Busnes yw Busnes
Monty Slocombe

'Be wyt ti'n wneud, Wil Huws? Siop bapur newydd sy gen ti. Pam wyt ti'n rhoi llysiau, ffrwythau a blodau o flaen dy siop? Fi sy'n gwerthu pethau ffres. Mae'r archfarchnad newydd yn ddigon o gystadleuaeth heb i ti wneud pethau'n waeth.'

Edrychodd Cecil yn gas ar y sioe o lysiau a blodau o flaen siop bapur Wil Huws.

'Wel, dyna sut mae pethau rŵan. Cystadleuaeth. Rhaid i ti ddod i arfer â hynny, gyfaill,' oedd ateb Wil.

'Ddylwn i werthu papurau? **Paid â malu cachu**, ddyn.'

'Paid â phoeni, Cecil, fydda i'n prynu dy siop di yn fuan. Does 'na ddim lle i hen bobl a hen ffyrdd yn y byd modern.'

Sôn am ennill cyfeillion!

Dyn bach oedd Wil efo gwallt coch, yn mynd trwy'i bethau **fel ceiliog ar ben domen**. **Tipyn o dderyn** efo menywod oedd Wil hefyd, yn ôl y sôn. Roedd yn hawdd eu **hudo** nhw gyda Rolls a phres mawr. I Wil, hwyl ar ôl diwrnod yn gwneud pres oedd caru. Doedd o ddim isio priodi.

---

paid â malu cachu – *don't talk rubbish (literally: to grind excrement)*

fel ceiliog ar ben domen – *like the king of the world (literally: like a cockerel on top of a pile)*

tipyn o dderyn – *a bit of a lad*   hudo – *to charm, to entice*

Roedd **hwyliau drwg** ar Cecil Ifans y bore hwnnw, wrth roi stondin o flaen ei siop groser i demtio cwsmeriaid. Roedd yr archfarchnad newydd yn hudo rhai pobl, ond roedd rhaid iddo ddal ei dir – yn erbyn yr archfarchnad, ac yn erbyn Wil Huws. Roedd gynno fo gwsmeriaid da oedd yn dod i'r siop i brynu'r llysiau a'r ffrwythau gorau. Ac roedd o'n llwyddo – tan rŵan. Tan i'r **ceiliog dandi** Wil Huws brynu'r siop bapur newydd drws nesa a dechrau gwerthu llysiau a ffrwythau. 'Y Gorau o'r Gorau' oedd siop Cecil. Dyna oedd siop ei dad o'i flaen. Ond doedd pethau ddim fel oedden nhw. Roedd pobl yn **parchu** ei gilydd yn yr hen ddyddiau.

Aeth pethau'n waeth rhwng y ddau ddyn. Roedd Wil yn hoffi gwthio stondin Cecil, 'ar ddamwain', gan greu llanast ar y llawr. Roedd Wil yn gwenu wrth weld tatws, afalau a thomatos Cecil yn rolio i lawr y stryd ac i'r gwter. Roedd Wil ei hun fel un o'r ffrwythau. Roedd Wil fel **afal pwdr**. Cic fach efo'i droed ac roedd y stondin yn cwympo. Damwain fach arall gan bobl oedd yn cerdded heibio. Breuddwyd fawr Wil oedd gweld ei fusnes yn tyfu. Doedd neb yn mynd i'w rwystro fo.

Newydd brynu siop bapur 'Brown's Newsagent' oedd Wil. Roedd yn ddyn ifanc, ugain oed ac yn hyderus iawn. Yn rhy hyderus, yn ôl rhai pobl. Aeth o i Goleg Technegol Llandrillo i wneud cwrs Busnes. Pasiodd o efo marciau uchel a rŵan roedd o'n mynd i ddringo **i'r brig**. Yn gyflym. Roedd Coleg Llandrillo yn dda mewn gwersi prynu a gwerthu, ond ddim cystal mewn

hwyliau drwg – *bad mood*	ceiliog dandi – *dandy-cock (fig. a fop)*
parchu – *to respect*	afal pwdr – *rotten apple*
i'r brig – *to the top*	

gwersi **moesol**. Doedd dim llawer o empathi gan Wil. Pan oedd o'n meddwl am bobl a phres, pres oedd yn ennill bob tro. 'Busnes yw busnes,' meddai Wil a 'does dim cyfeillion mewn busnes'.

Roedd Cecil wedi cael y siop ar ôl ei dad, siop 'Y Gorau o'r Gorau'. Ei freuddwyd oedd cadw breuddwyd ei dad: gwerthu'r llysiau, y ffrwythau a'r blodau gorau am bris da. Roedd Cecil yn meddwl am ei gwsmeriaid fel ffrindiau. Roedd Cecil a Berwyn Brown, **cyn-berchennog** y siop drws nesa, yn gyfeillion. Dyna sut oedd pethau yn yr hen ddyddiau. Ond dim rŵan yn y byd modern.

Aeth amser ymlaen. Roedd busnes Wil yn tyfu a thyfu. Prynodd siop fawr yr ochr arall i Cecil. Agorodd archfarchnad fach yn gwerthu pob dim. Wrth i fusnes Wil fynd yn fwy, aeth busnes Cecil yn llai. Ceisiodd Cecil a'i fab gadw'r busnes i fynd am y blynyddoedd nesa. Ond doedd y gystadleuaeth ddim yn deg. Yn y diwedd, roedd yn rhaid iddyn nhw **roi'r gorau iddi**.

'Wel, mae gen i ofn bod rhaid cau'r siop, diolch i'r dyn drws nesa,' meddai Cecil wrth Alwyn, ei unig fab. 'Rhaid i ti chwilio am waith arall. Does gen i ddim llawer o bres – dim fel y ceiliog dandi drws nesa!' Ac felly, cafodd y siop a'r busnes eu gwerthu. Roedd y busnes bron yn **ddiwerth** erbyn hyn, dim pres i Alwyn ei **etifeddu**.

Wythnos ar ôl gwerthu'r siop, daeth newyddion mawr. Roedd prynwr siop Cecil wedi ei phrynu ar ran Wil Huws. Roedd Wil wedi **twyllo** Cecil i dyfu ei fusnes hyd yn oed yn fwy. Sôn am

moesol – *moral*	cyn-berchennog – *previous owner*
rhoi'r gorau iddi – *to give up*	diwerth – *worthless*
etifeddu – *to inherit*	twyllo – *to deceive*

rwbio ei drwyn yn y baw! 'Beth oedd yn gyrru'r dyn, tybed? Dim ond pres! Doedd gynno fo ddim gwraig na theulu. Trist,' meddyliodd Cecil.

Cafodd Alwyn waith diflas mewn archfarchnad, yn llenwi silffoedd drwy'r nos. Mewn amser, priododd ferch oedd yn yr ysgol efo fo. Doedd gynnyn nhw ddim llawer o bres, ond roedden nhw'n hapus. Collodd Ceri, gwraig Alwyn, ei rhieni yn ifanc, gan adael pres i'r **angladd** a dim mwy. Roedd mam Ceri yn caru ar y slei, yn ôl y sôn. **Sioe un nos** efallai, ac roedd hyn wedi poeni Ceri ar hyd ei bywyd. 'Be tasai…?' meddyliodd hi.

'Od iawn,' meddai wrth Alwyn wrth edrych yn y drych, 'roedd gan Dad a Mam wallt golau, ond mae fy ngwallt i dipyn bach yn goch.'

'Efallai fod gwallt coch yn dy deulu di, amser maith yn ôl. **Yn ôl yn yr achau**. Paid â phoeni, dw i'n dy garu di,' atebodd Alwyn gan roi sws iddi. Pasiodd Alwyn lefel 'A' mewn Bioleg yn yr ysgol; efallai ei fod o'n iawn?

Roedd Ceri yn glanhau tai pobl eraill, i **gael dau ben llinyn ynghyd**. Un diwrnod cafodd alwad ffôn oddi wrth Wil Huws yn gofyn iddi hi lanhau ei dŷ o. Roedd Wil yn rhy brysur yn ennill pres i lanhau. Roedd yn well gynno fo dalu rhywun arall i wneud y gwaith diflas. Roedd yn rhatach na gwraig a theulu. Roedd Ceri yn glanhau tŷ Wil ddwywaith yr wythnos... ac yn cael cyfle i wneud ychydig o waith ditectif.

---

angladd – *funeral* | sioe un nos – *one night stand*

yn ôl yn yr achau – *in your family tree (literally: back in the ancestry)*

cael dau ben llinyn ynghyd – *to make ends meet (literally: to get two threads together)*

Roedd hi'n ffan o ddramâu ac roedd gynni hi syniadau diddorol. Wrth lanhau ystafell ymolchi Wil, cododd **flewyn** oddi ar ei **grib**. Anfonodd y blewyn at gwmni oedd yn **hel achau**. Ac ie, dach chi wedi **taro'r hoelen ar ei phen** – yn ôl y prawf DNA, roedd Ceri, yn wir, yn ferch i Wil Huws. Un diwrnod cafodd Wil lythyr oddi wrth gwmni Screwem, Milkem a Lyam. Roedd gynno fo ferch! Roedd yn sioc enfawr a chafodd o **drawiad ar y galon**.

Ar ôl yr achos sifil, newidiodd bywyd Alwyn, Ceri a'r plant. Do, aeth y **cyfreithwyr** â rhan o gyfoeth Wil, ond roedd swm enfawr ar ôl. Nawr, doedd dim rhaid i Ceri ac Alwyn a'r teulu boeni am bres. Mae achau yn rhyfedd: rhai pobl yn normal a rhai pobl yn bwdr fel hen afal.

---

blewyn – *a strand of hair* crib – *comb*

hel achau – *to genealogize*

taro'r hoelen ar ei phen – *to hit the nail on its head*

trawiad ar y galon – *heart attack*

cyfreithiwr (cyfreithwyr) – *lawyer(s)*

Brecwast yn y Cyfnod Clo
Julie Pearce

Eisteddodd o yn y gegin, yn hwfro'r Cheerios i fyny. Roedd pob **llond llwy** yn cyrraedd ei geg **yn fecanyddol**. I fyny ac i lawr aeth y llwy. Weithiau roedd llaeth yn syrthio yn ôl i'r fowlen, ond roedd digon o'r cylchau melys yn mynd i mewn. Roedd yn bwyta pob llond ceg yn swnllyd. Roedd o'r un fath efo tarten ei fam; roedd y darten a'r llaeth yn cael eu **rhofio** i mewn, heb eu blasu; dim ond llyncu llond llwy fawr a symud ymlaen at y nesaf.

Gwyliodd hi fo. Gwrandawodd hi arno fo. Yn y dechrau, roedd hi'n meddwl basai'n neis treulio mwy o amser efo fo, ond rŵan roedd hi'n eitha hapus ei fod o'n gallu mynd allan i'w waith fel arfer.

'Beth wyt ti'n wneud heddiw?' gofynnodd o.

'Lot o ddim byd,' atebodd hi yn fyr, ond wedyn esboniodd hi, 'wel, ddylwn i orffen fy ngwaith papur, ond dw i ddim isio.'

Gan fod ei busnes ar gau achos y pandemig, roedd gynni hi fwy o amser 'rhydd'. Yn y dechrau roedd hi'n edrych ymlaen at hyn. Adref bob dydd, dal i fyny efo jobsys bach a mawr. Darllen llawer, gwnïo mwy, gwau. Prynodd hi ddefnydd a gwlân; benthycodd hi lyfrau o'r llyfrgell cyn iddi hi gau. O'r diwedd,

y Cyfnod Clo – *lockdown*	llond llwy – *mouthful*
yn fecanyddol – *mechanically, like a machine*	
rhofio – *to shovel*	

popeth yn cael ei ganslo, ac felly **rhyddid** a **rhyddhad**. Ond, dim rhyddid oedd o, yn amlwg. Dim gwyliau. Roedd rhaid iddi hi aros yn y tŷ drwy'r amser.

'Wyt ti'n mynd i'r siop? Mae fy mam angen bwyd cath,' awgrymodd o.

Roedd y teithiau prin i'r siop yn llawn pwysau, yn llawn ofn. Roedd hi'n teimlo'n **euog** oherwydd ei bod hi wedi gadael y tŷ, ac wedyn roedd rhaid ciwio, ac yn y diwedd doedd hi ddim yn gallu prynu be roedd hi eisiau. Roedd hi wedi cael llond bol ar y ddawns o gwmpas pobl eraill ar y stryd ac yn y siopau – roedd hi'n **ysu** i fynd o gwmpas yr archfarchnad y ffordd anghywir. Roedd hi wedi trio archebu ar-lein – ond ddim yn llwyddiannus iawn. Doedd hi ddim yn dda am ddyfalu maint pethau, felly roedd hi'n prynu potel **hylif** golchi llestri maint bys a bwced o iogwrt. Roedd hi wedi gwneud llwyth o iogwrt **wedi'i rewi** ar ôl hynna. Ac wythnos diwethaf mi wnaeth hi gasglu siopa rhywun arall ar ddamwain. Lwcus ei bod hi wedi sylwi. Roedd y bobl yma wedi archebu lot o **ffacbys**.

'Nac ydw. Dw i ddim yn mynd tan ddydd Gwener.' Doedd gynni hi ddim ots am y blydi gath. Y tro diwethaf brynodd hi fynydd o fwyd cath. Cwynodd ei **mam yng nghyfraith** trwy ddweud – 'be os bydd y gath yn marw, be wnawn ni efo'r bwyd 'ma?' Bob tro roedd ei fam yn gofyn am bethau yn y siopau

rhyddid – *freedom*	rhyddhad – *relief*
euog – *guilty*	ysu – *to itch (to do something)*
hylif – *liquid*	wedi'i rewi – *frozen*
ffacbys – *chickpeas*	mam yng nghyfraith – *mother in law*

roedd hi'n teimlo fel Anneka Rice yn gwneud **helfa drysor**. Heb y jympsiwt.

Newidiodd hi'r pwnc. 'Mae gen i glwb darllen **rhithiol** heno, felly ddylwn i drio darllen y llyfr tro 'ma.'

Roedd hi'n gwybod tasai amser rhydd yn ei dydd y basai fo yn ei lenwi efo jobsys diflas. Ond a dweud y gwir, roedd y clwb darllen rhithiol yn **drychineb** y tro diwethaf. Doedd pawb ddim yn gallu defnyddio Zoom. Felly, am awr roedd aelodau'r grŵp yn ceisio ymuno, efo'r un problemau dro ar ôl tro. 'Dan ni ddim yn gallu'ch gweld chi, nac eich clywed chi, Eleri.' 'Trowch y **sain** ymlaen. Y SAIN. Botwm ar y chwith – dach chi'n gallu ei weld o?' Roedd rhaid i rywun ffonio Eleri, druan, ac esbonio'r botymau sain a fideo iddi hi.

Wedyn doedden nhw ond yn gallu gweld top pen Jane, oedd yn well nag Angharad – doedd gynni hi ddim camera o gwbl ar ei hen gyfrifiadur. Roedd pobl yn cyrraedd ac roedd côr o weiddi bob tro: 'Sain!' 'Y botwm ar y chwith.' 'Fideo!' ac wedyn roedden nhw'n sgrechian mewn cyffro wrth weld hen ffrindiau eto. Ac efo ci Dafydd yn cyfarth doedd dim gobaith iddi hi glywed dim byd.

Roedd hi'n teimlo'n **chwithig** gan ei bod hi ddim yn byw yn yr un dref â'r rhan fwyaf ohonyn nhw, felly doedd hi ddim yn nabod pawb. Ond o leiaf doedd 'na ddim amser i drafod y llyfr, oedd fel newydd, heb ei ddarllen o hyd.

Stopiodd feddwl. Edrychodd i fyny ar ei gŵr ar ochr arall

helfa drysor – *treasure hunt*	rhithiol – *virtual*
trychineb – *disaster, tragedy*	sain – *volume*
chwithig – *awkward*	

y bwrdd. Roedd hi'n ysu i ddweud rhywbeth. Neu wneud rhywbeth. Neu ddianc. Canodd y ffôn.

*

Ar ôl iddo fo fynd i'r gwaith, penderfynodd hi weithio yn yr ardd. Doedd 'na ddim llawer o ddewis – glanhau neu smwddio yn y tŷ, neu arddio. Ddylai hi wneud rhywbeth tu allan, gan fod y tywydd mor braf. Roedd y byd yn dawel iawn – dim ceir, dim awyren, popeth **yn sefyll yn stond**. Ar wahân i'r adar. Roedd sŵn yr adar yn mynd yn uwch bob dydd, fel tasai'r byd yn sgrechian arni hi. Clywodd hi'r **gog** o'r tŷ wythnos diwethaf, am y tro cyntaf erioed. Roedd hi'n ysu i rannu'r foment, ond roedd hi ar ei phen ei hun.

Ymlaciodd hi ychydig pan oedd hi'n palu'r pridd, er ei fod o'n rhwystredig trio cael gwared â'r **chwyn** oedd ym mhob man. Ar ôl gorffen, safodd hi yn ôl i edrych ar ei gwaith. Tipyn o drefn mewn byd **anhrefnus**. Efallai dylai hi ddefnyddio **gwenwyn**, ond roedd hi'n ofni achosi **difrod** i'r bywyd gwyllt. Wnaeth hi ddod o hyd i'r Roundup yn y sied. Chwaraeodd hi efo fo yn ei dwylo am sbel, bron heb sylweddoli, gan ei symud o un llaw i'r llall.

Yn sydyn clywodd hi 'Bîp, bîp' ei ffôn symudol. Gollyngodd hi'r botel. Neges oddi wrth y caffi yn y dref. Roedd hi wedi

yn sefyll yn stond – *standing very still*	gog – *cuckoo*
chwyn – *weeds*	anhrefnus – *unruly*
gwenwyn – *poison*	difrod – *damage*

anghofio archebu cinio ar gyfer ei mam yng nghyfraith. Damia! Be oedd yn bod arni hi! Doedd dim lot yn mynd ymlaen yn ei bywyd ar hyn o bryd. Daliodd ati, yn tynnu'r chwyn, mewn hwyliau drwg erbyn hyn. Pan aeth hi i lawr at y **nant**, i daflu'r chwyn cas i ffwrdd, gwelodd **blanhigyn**. **Cegid**. Roedd o'n edrych yn hardd, ond cofiodd ddarllen mor **wenwynig** oedd o. Roedd 'na rywbeth am y blodau gwyn – fel **clustogau i gadw pinnau** ar goesau hir – oedd yn ei hatgoffa hi o'r feirws yn achosi trafferth dros y byd.

Cyrhaeddodd o adre am 5.30. Fel arfer. Amser bwydo. Roedd hi'n teimlo fel tasai hi ond yn ei weld o pan oedd o eisiau bwyd. Cyn y Cyfnod Clo roedd o'n cael swper efo'i fam o leiaf unwaith yr wythnos. Dyn oedd yn hoffi trefn. Ond rŵan rhaid iddi hi baratoi pob pryd o fwyd. Doedd 'na ddim byd lot wedi newid yn ei fyd o.

'Sut hwyl?' **cyfarchodd** hi efo cusan gyflym cyn iddo fo eistedd wrth y bwrdd, yn barod am ei fwyd. Fel cyw aderyn **newynog**. 'Be wnest ti heddiw?' gofynnodd o. Tra oedd hi'n rhoi ei fwyd ar y plât, ceisiodd hi feddwl be wnaeth hi yn ystod y dydd. Doedd hi ddim yn gallu cofio'n glir. Eisteddodd hi gyferbyn â fo, a dechreuodd hi fwyta.

Edrychodd o ar y daten **werdd** ar ei blât. 'Wyt ti'n trio fy lladd i?' Chwerthin roedd o wrth wthio'r daten anffodus i ochr ei

nant – *stream*	planhigyn – *plant*
cegid – *hemlock*	gwenwynig – *poisonous*
clustogau i gadw pinnau – *pin cushions*	
cyfarch – *to greet*	newynog – *hungry, starving*
werdd – *green (fem.)*	

blât. Atebodd hi ddim. 'Blodau neis,' nodiodd at y fâs ar y bwrdd, yn llawn o flodau gwyn **haerllug**.

Yn syth ar ôl te, aeth o allan i dorri'r lawnt. Doedd o ddim yn ddiog.

★

Rat-a-tat-tat. Cafodd hi ei deffro'r diwrnod canlynol gan sŵn cnocio. Roedd hi isio mynd yn ôl i gysgu, ond daeth y sŵn eto. **Cnocell y coed**? Na, roedd y cnocio yn dod o'r llawr. Cododd hi yn araf. Oedd ei gŵr hi'n cnocio ar **nenfwd** y gegin? Roedd o'n arfer gwneud, ers talwm, pan oedd brecwast yn barod. Cnociodd hi yn ôl ar y llawr a chlywed yr ateb yn **adleisio** drwy'r tŷ.

I lawr y grisiau roedd o'n paratoi wyau wedi'u berwi efo tost a phanad. 'Sori mod i 'di bod mor brysur dros yr wythnosau diwetha, ti isio mynd am dro ar ôl brecwast?' gofynnodd o. 'Dw i'n siŵr mod i 'di clywed y gog bore 'ma.' Roedd y blodau gwyn yn **gwywo** ar fwrdd y gegin, yn plygu eu pennau mewn **cywilydd**.

haerllug – *bold, brazen*	cnocell y coed – *woodpecker*
nenfwd – *ceiling*	adleisio – *to reverberate, to echo*
gwywo – *to wilt*	cywilydd – *shame*

Ceidwad y Breuddwydion
Kevin Ellis

Ar ymyl yr ystafell roedd cadair freichiau. Roedd hi wedi gweld dyddiau gwell. Yn y gadair roedd hen ddyn yn eistedd. Roedd sbectol niwlog ar ymyl ei drwyn. Roedd ei lygaid yn frown. Roedd llawer o linellau ar ei wyneb, **creithiau** bywyd. Ochneidiodd Gwynn wrth iddo sefyll. Roedd yn anodd symud nawr heb boen. Symudodd i wneud paned. Yna gwenodd wrth iddo gofio. Roedd gynno fo boced **hud** o hyd.

Trodd Gwynn y tap ymlaen. Dripiodd y dŵr i'r tegell o'r hen dap. Cerddodd yn araf ar draws y llawr a rhoi'r tegell ymlaen, yn ofalus. Roedd Gwynn yn gwneud popeth yn ofalus. Roedd yn rhaid iddo fo.

Roedd y gegin wedi gweld dyddiau gwell. Roedd y ffenest wedi cracio. Yn y bore, fe allai Gwynn weld yr haul yn cyffwrdd â'r crac, y golau'n dawnsio. Roedd y bwrdd yn **llychlyd**. Doedd neb yn bwyta yno erbyn hyn. Roedd yn well gan Gwynn fwyta o flaen y teledu, yn eistedd yn y gadair freichiau.

Roedd angen paentio'r gegin, meddyliodd Gwynn. Yn sydyn dywedodd yn uchel, 'Mae angen ailbaentio'r tŷ.' Synnodd at sŵn ei lais. Doedd o ddim yn clywed ei lais yn aml. Doedd neb yno i

---

ceidwad – *keeper*	craith (creithiau) – *scar(s)*
hud – *magic*	
llychlyd – *dusty*	

siarad ag ef, dim ond yn ei freuddwydion.

Ef oedd ceidwad y breuddwydion.

Agorodd y cwpwrdd, yn ofalus. Gwelodd y ffotograffau y tu mewn i'r cwpwrdd. Goleuodd gwên fach ei wyneb. Roedd y lluniau wedi blino. Roedden nhw'n hen. 'Fel fi!' ochneidiodd Gwynn.

Diffoddodd y tegell wrth i Gwynn godi mẁg o'r cwpwrdd. Roedd y mẁg wedi gweld dyddiau gwell. Fel y ffenest, roedd crac ynddo. Enw'r mẁg oedd 'Brawd'. Doedd dim golau haul i ddawnsio gyda'r crac hwn, dim ond **atgofion** Gwynn.

Aeth Gwynn â'i goffi i'r ystafell fyw ac eistedd yn y gadair flinedig. Wrth ymyl y gadair roedd bwrdd. Ar y bwrdd roedd ffôn. Doedd y ffôn ddim yn canu yn aml a doedd Gwynn ddim yn defnyddio'r ffôn yn aml. Doedd o ddim yn siŵr allai gofio'r rhif. Roedd llyfrau ar y bwrdd hefyd, ac albym o luniau. Doedd o ddim yn cofio edrych ar y lluniau ers amser hir. Roedd Gwynn yn gwisgo siwmper siarcol, crys-T coch a throwsus du. Roedd poced ei drowsus yn oren. Roedd poced oren ar ei drowsus bob dydd. Roedd hi'n boced hud. Yno roedd o'n cadw ei atgofion. Roedd heddiw yn dawnsio... yn diflannu yn ei ben. Ond yn y boced roedd ei atgofion yn fyw.

Cododd yr albym o'r bwrdd. Roedd y ffotograffau yn ddu a gwyn. Roedd rhai o'i **blentyndod**, rhai eraill pan oedd yn fachgen ifanc. Edrychodd Gwynn hyd y diwedd a gorffwys ei lygaid ar lun o ferch. Sibrydodd 'Mair Ann'. Caeodd y llyfr a'i roi ar y bwrdd. 'Mair Ann,' meddyliodd Gwynn wrtho'i hun. Roedd popeth mor bell yn ôl. Roedd y ffotograff yn ddu a gwyn,

---

atgof(ion) – *memory (memories)* plentyndod – *childhood*

---

ond roedd ei atgofion yn fyw. Roedd hi'n gwisgo ffrog siarcol. Roedd y ffrog wedi gweld dyddiau gwell. Ar y ffrog roedd poced oren.

Safodd Gwynn ar ei draed a theimlo'n ofalus am ei boced oren. Roedd Gwynn yn gwneud popeth yn ofalus. Yn araf agorodd Gwynn ei boced hud. Dechreuodd yr ystafell ddawnsio... a diflannu. Aeth Gwynn yn ôl...

Roedd Gwynn yn eistedd yn ei hen gadair yng nghornel yr ystafell. Wrth ymyl y gadair roedd bwrdd. Ar y bwrdd roedd ffôn, **pentwr** o lyfrau a ffotograff mewn ffrâm oren newydd. Yn y ffotograff roedd dau ffigur i'w gweld yn glir: hen ddyn a merch ifanc. Roedd Gwynn a Mair Ann yn yr ysgol gyda'i gilydd. Roedd un wedi **heneiddio**, ond roedd y llall yn ifanc. Roedd y ddau ohonyn nhw'n gwisgo dillad siarcol, ac roedd gan bob un boced oren. Roedd yn dri mis ers i'r llun gael ei dynnu.

Agorodd Gwynn ei lygaid ac **addasu** i'r ystafell oren. Yn araf, edrychodd o'i amgylch. Roedd Gwynn yn gwneud popeth yn araf – yn araf ac yn ofalus. Symudodd y llenni ychydig yn yr **awel**. O gornel ei lygad, gallai Gwynn weld crac ar y ffenest. Gwelodd yr haul yn dawnsio ar y ffenest a chlywed llais yn siarad gydag ef: 'Croeso, Ceidwad y breuddwydion!' Ceidwad y breuddwydion? Doedd Gwynn ddim wedi clywed yr enw hwn ers amser hir.

Doedd dim angen iddo droi ei ben. Roedd o'n gwybod pwy oedd yn siarad. Roedd Gwynn wedi clywed y llais dro ar ôl tro yn ei atgofion. Roedd yn llais **cyfeillgar**. 'Helô Gwynn, fy hen

pentwr – *pile*	heneiddio – *to grow old*
addasu – *to adapt*	awel – *breeze*
cyfeillgar – *friendly*	

ffrind,' meddai'r llais cyfeillgar. A ddylai o droi ei ben? Roedd yn amser hir ers iddyn nhw ffarwelio, **ddegawdau** yn ôl. Roedd yn gwybod ei fod wedi newid. Roedd yn hŷn. 'Dw i'n hen iawn,' ochneidiodd Gwynn. Roedd o wedi rhewi a doedd o ddim yn gallu siarad. Roedd o'n gweld caleidosgop o atgofion. Roedd o'n cofio'r gobeithion oedd gynnyn nhw ar gyfer y dyfodol. Sibrydodd, 'Helô, ydw i'n ôl?'

Yno o'i flaen roedd Mair Ann. Gwenodd hi. Gwenodd o. Doedd hi ddim wedi newid. Roedd Gwynn yn gallu cyfrif pob blewyn ar ei ben nawr, ond roedd Mair Ann yr un peth. Doedd hi ddim, fel y gadair, 'wedi gweld dyddiau gwell'. 'Beth ddigwyddodd i chi?' gofynnodd hi. Roedd distawrwydd. 'Dw i wedi gadael i fy mreuddwydion dyfu,' atebodd Gwynn yn dawel. Roedden nhw'n ffrindiau yn yr ysgol. Fo oedd yn cadw'r breuddwydion a hi oedd yn gwneud atgofion. Doedden nhw ddim wedi gweld ei gilydd ers y diwrnod hwnnw amser maith yn ôl.

Doedd o ddim wedi bod yn anhapus, meddyliodd Gwynn wrtho'i hun. Roedd wedi treulio ei oes fel athro, yn helpu eraill i **gyflawni** eu breuddwydion. Ar ei silff, roedd llythyrau yn dweud diolch. 'Dych chi am ddod yn ôl i'r gorffennol?' gofynnodd hi, gan dorri ar ei feddyliau. Ar ddyddiau eraill, fasai fo ddim wedi meddwl ddwywaith. Edrychodd a gwenu yn drist. Dechreuodd y waliau oren ddawnsio a diflannu.

Gwnaeth Gwynn banad o de iddo'i hun. Ar y mẁg roedd y gair 'Ewythr'. Eisteddodd yn y gegin. Penderfynodd ysgrifennu at ei deulu. Fe geisiodd yn galed i gadw mewn cysylltiad, ond weithiau roedd y tristwch yn ormod.

---

degawd(au) – *decade(s)*		cyflawni – *to achieve*

Canodd cloch y drws. Roedd sŵn 'Calon Lân' yn llenwi'r tŷ. Doedd y gloch ddim yn canu yn aml. Aeth at y drws yn araf a'i agor, a gwelodd hen ddynes. Gwenodd hi. Roedd hi'n gwisgo ffrog siarcol gyda phoced oren. 'Dw i 'nôl,' meddai a dechreuodd Gwynn grio.

Bob bore, roedd o'n cerdded i'r ysgol, gan gau giât yr ardd y tu ôl iddo yn ofalus, rhag ofn i'r gath ei ddilyn. I lawr y lôn, a dros y bont reilffordd. Roedd Gwynn yn cofio'r teithiau unig i'r ysgol, yn eu cofio'n dda, wedi ei wisgo yn ei ddillad siarcol gyda'r boced oren. Roedd yr ysgol ar waelod y bryn wedi'i hadeiladu o **lechen** ddu. Roedd y grisiau yn **llwm**, a fasai Gwynn byth yn breuddwydio mynd i fyny'r grisiau.

Un bore, wrth iddo gau'r giât yn ofalus y tu ôl iddo, clywodd lais. Roedd Gwynn yn gwneud popeth yn ofalus. Gwenodd Gwynn iddo'i hun wrth iddo gofio. 'Helô,' meddai llais merch, 'Fi yw Mair Ann.' Roedd hi'n gwisgo ffrog siarcol gyda phoced oren. Doedd dim angen gofyn i ble roedd hi'n mynd, a doedd Gwynn ddim wedi gofyn o ble roedd hi wedi dod. Fe gerddon nhw gyda'i gilydd yn dawel i'r ysgol ac yn ôl.

Digwyddodd hyn am dair neu bedair blynedd. Tua diwedd eu hamser yn yr ysgol, gofynnodd Mair Ann yn sydyn i Gwynn, 'Dych chi byth yn meddwl beth sydd ar ben y grisiau? Beth fasech chi'n ei weld yno?' Feddyliodd Gwynn ddim am hynny erioed. Doedd o ddim i fod i fynd i fyny'r grisiau. Dyna oedden nhw wedi'i ddweud.

Ond roedd rhywbeth am Mair Ann oedd yn gwneud i Gwynn wneud pethau na fasai fel rheol yn eu gwneud. Roedd hi'n gwneud iddo fyw ei freuddwydion.

---

llechen – *slate* llwm – *bare*

Ar ddiwrnod olaf ond un yr ysgol, dechreuodd y ddau ohonyn nhw ddringo'r grisiau. Ar ben y set gyntaf o risiau, roedd tri drws. Roedd dau ohonyn nhw ar gau, ac un ychydig yn agored. Aeth Gwynn trwy'r drws agored. Doedd o ddim yn gallu credu beth roedd o'n ei weld. O amgylch yr ystafell, roedd cypyrddau ar y wal, pob un yn siarcol, gyda label oren arnyn nhw. Roedd enw ar bob label. Yn fuan daeth llygaid Gwynn o hyd i'r cwpwrdd gyda'i enw o. Yn ofalus, agorodd y cwpwrdd. Y tu mewn roedd ffeil oren, gyda **llythrennau** siarcol arni. 'Ceidwad y breuddwydion.' Cododd Gwynn y ffeil o'r cwpwrdd. Sibrydodd Mair Ann: 'Mae'n dweud am y dyfodol.' Teimlodd Gwynn am ei boced hud a dechreuodd yr ystafell ddawnsio a diflannu...

Roedd Gwynn yn ôl yn ei gadair freichiau. Wrth ei ymyl roedd bwrdd. Ar y bwrdd, roedd ffôn oedd ddim yn canu yn aml, llyfrau, yr hen ffeil o'r cwpwrdd ac albym ffotograffau. Roedd y ffeil wedi gweld dyddiau gwell, ond roedd yr albym heb ei gyffwrdd, bron. Ynddo roedd ffotograffau o Gwynn a'i frawd iau, Pedr, a Gwynn gyda'i **nai**, Elfed. Ble roedden nhw nawr?

Roedden nhw wedi cwympo mas oherwydd eu breuddwydion. Roedd Gwynn yn meddwl yn aml, 'Tybed beth fasai'n digwydd taswn i'n rhoi eu ffotograffau nhw yn y boced hud? Faswn i'n gweld Pedr ac Elfed?' Estynnodd am yr albym...

Weithiau, wrth iddo eistedd yn y gadair roedd o'n meddwl ei fod o'n clywed rhywun yn y gegin... Mair Ann hyd yn oed. Ond doedd neb yno, dim ond yn ei atgofion.

Y foment honno, canodd y ffôn. Edrychodd Gwynn arno a rhoi ei law yn ei boced a dechreuodd yr ystafell ddawnsio a diflannu.

---

llythyren (llythrennau) – *letter(s)* nai – *nephew*

Tamaid Bach o Nefoedd
Clare Brathmere

'**Tamaid** bach o nefoedd.'

Roedd Nia wrth ei bodd yn ei gardd. Doedd yna ddim cymdogion o fewn milltir i'r tŷ, felly fedrai neb ei gweld hi'n mwynhau'r hanner **erw**. Roedd y lle preifat yma wedi bod yn lle iddi ddianc rhag problemau ei bywyd, yn enwedig *yr* un. Ei lle arbennig hi. Roedd hi'n treulio oriau bob pnawn dydd Sul yn tendio, plannu a phalu a doedd y pnawn Sul yma ddim yn wahanol.

Roedd hi wedi bod wrthi'n palu am ryw ddwy awr a hanner, ond heddiw, roedd y gwaith yn galetach. Caletach nag arfer oherwydd yr hydref sych anarferol, ond roedd y gwaith wedi dod i ben.

Safodd am dipyn yn edrych dros ei gwaith da.

'Bydd o werth o,' meddyliodd â gwên fach ar ei hwyneb del ond **creithiog**, y gwely rhosod newydd yn cael ei **adlewyrchu** yn ei llygaid trist.

Cerddodd Nia yn araf am ddrws y gegin. Yn ofalus, rhoiodd ei rhaw yn erbyn y wal wrth y drws ac edrych ar ei dwylo.

'O, am fod yn dri deg eto,' sibrydodd yn dawel wrthi ei hun.

'O, am fod yn bedwar deg hyd yn oed!' meddyliodd hi, gan siglo ei phen yn ysgafn.

tamaid – *a little bit*	erw – *acre*
creithiog – *scarred*	adlewyrchu – *to reflect*

Wrth aros am eiliad wrth y drws, syllodd ar y **pothelli** oedd wedi codi ar ei dwylo ar ôl y gwaith caled. Roedd ei modrwy briodas wedi dechrau **rhwbio**'r bys.

Yn ofnus, gwthiodd hi'r drws ar agor gyda dim ond bys... yn araf er mwyn trio peidio sbio ar y llanast roedd hi'n gwybod fasai'n ei chyfarch hi.

'O Nia. Nia, Nia, Nia,' meddai o dan ei h**anadl**, gan edrych ar y gegin flêr. Roedd yn gas gynni hi lanast. Person taclus oedd Nia ac un oedd yn licio i bethau gael eu cadw yn eu llefydd iawn; dim fel oedd ei chegin grand hi y prynhawn yma.

'O Nia, Nia,' ochneidiodd gan ysgwyd ei phen yn ysgafn unwaith eto.

Roedd yna wydrau wedi torri ar lawr, yn cymysgu â darnau o blatiau Wedgewood a photiau **planhigion**. Wedi torri, bob un. Roedd cadair bren ar ei hochr, ei chlustog drud wedi torri. **Ar flaenau'i thraed** aeth hi ar draws y gegin i chwilio am wydr i gael diod, gan drio osgoi'r baw ar y teils.

'Damia, Nia. Fedri di sortio'r llanast nes 'mlaen. Ti'n medru cael un ddiod. Ti 'di gweithio'n galed. Tyrd 'mlaen. Un gwin bach.'

Arhosodd am eiliad i feddwl.

'Ella mai hwn fydd yr ola, wedi'r cwbl!'

Cymerodd y botel hanner llawn a **thywallt** gwin coch yn

---

pothell(i) – *blister(s)* rhwbio – *to rub*

anadl – *breath*

planhigyn (planhigion) – *plant(s)*

ar flaenau'i thraed – *on the tips of her toes*

tywallt – *to pour*

erbyn ymyl y gwydr. Aeth hi drwy'r drws rhwng y gegin a'r **orenfa**, gan gau'r drws i guddio'r llanast. Suddodd i mewn i'r soffa feddal a **dylyfu gên**. Roedd y penwythnosau yn anodd ers blynyddoedd. Ar y penwythnosau roedd ei gŵr adre.

Yn y diwedd dechreuodd Nia ymlacio ac aeth y gwin i lawr yn hawdd. Roedd popeth yn yr ystafell yn ddistaw. Roedd hi'n dechrau syrthio i gysgu pan glywodd hi lais ei gŵr.

'Ti'n yfed eto, Nia? Dw i 'di deud 'tha chdi am hynna.'

Am eiliad **rhewodd** Nia. Doedd hi ddim yn disgwyl clywed llais Gareth. Dechreuodd ei chalon rasio.

'Fasai hynna yn beth drwg, fy **nhwrch** bach.' Roedd ei lais yn flin ac roedd o'n dal i ddefnyddio'r term ofnadwy hwnnw. Dros y blynyddoedd roedd Nia wedi arfer â'i glywed o. Ond doedd ei gŵr ddim yn sylweddoli bod y tri gair bach yna'n ei **dinistrio** hi.

'Dos o 'ma, Gareth! Sdim angen ti yn fy mywyd i. Dw i 'di gwneud hynna'n amlwg. Wel, o'n i'n meddwl. Dos! Rŵan!'

'Dydy hi'm mor hawdd â hynny, fy nhwrch bach. Fedri di ddim byw hebdda i.'

Doedd y dyn bach a oedd yn sefyll wrth ffenest yr orenfa ddim yn mynd i adael ei bywyd, er gwaethaf ei hymdrechion. Suddodd ymhellach i'r soffa, ei chalon yn suddo ar yr un pryd. Â'i holl nerth, ceisiodd beidio â dangos i'w gŵr ei bod hi'n ofnus.

'Sut fedr rhywun mor glên yn llygaid y byd fod mor greulon? Sut, Gareth?' Cadwodd ei phen i lawr, ei llygaid yn syllu ar deils y llawr. Ddaeth dim ateb i'r cwestiwn.

orenfa – *orangery*	dylyfu gên – *to yawn*
rhewi – *to freeze*	twrch – *mole (animal)*
dinistrio – *to destroy*	

'Ti'n fudr, Nia. Ti angen cawod – a gyda llaw, paid anghofio am y llanast yn y gegin. Ddim yn cyrraedd dy safonau arferol, rhaid deud.'

Roedd Nia yn **gyfarwydd** â geiriau creulon Gareth ond heddiw, roedd hi **wedi cyrraedd pen ei thennyn**. Y prynhawn yma roedd hi wedi **amddiffyn** ei hun. Ond roedd hi'n teimlo'n fwy nerfus nag arfer, gan ei bod hi wedi disgwyl iddo adael y tŷ.

'O'n i'n meddwl dy fod di 'di mynd. Mae hi drosodd, yn tydi? Ein priodas ni.' Roedd ei llais yn fach. Roedd hi'n gwybod y basai Gareth yn sylwi ar yr ofn yn ei llais.

'Fel ddudes i. Dydy o'm mor hawdd â hynny, Nia. Fy un i wyt ti, a wna i ddim gadael heb ymladd.'

Aeth ymlaen dri cham tuag at ei wraig. Rhoiodd ei wyneb **fodfeddi** o wyneb Nia. Edrychodd **i fyw ei llygaid**. Roedd llygaid Gareth yn llawn **bygythiad**. Siaradodd yn araf, ond yn ysgafn.

'Paid â 'ngwthio i, Nia. Ti'n gwybod be sy'n digwydd pan wyt ti'n fy ngwthio i, twyt?'

Roedd calon Nia yn rasio. Trodd ei hwyneb i osgoi llygaid cas ei gŵr. Ar ôl sawl eiliad dechreuodd Gareth grwydro o gwmpas yr ystafell, yn edrych ar luniau'r teulu. Roedd y tensiwn yn codi. Cadwodd Nia ei phen yn isel.

'Plis, Gareth, ffwr' â chdi. Fedra i ddim byw'r bywyd yma.

---

cyfarwydd – *familiar*	
wedi cyrraedd pen ei thennyn – *having reached the end of her tether*	
amddiffyn – *to protect, to defend*	modfedd(i) – *inch(es)*
i fyw ei llygaid – *right into her eyes*	bygythiad – *menace, threat*

Bob penwythnos, **ar bigau'r drain**, yn aros am y boen, y llygaid du, yr **esgyrn** wedi torri. Fedra i ddim byw fel hyn, Gareth.' Roedd hi'n siarad fel tasai'n **pledio** o'r galon. Yn pledio am ei bywyd.

Stopiodd Gareth wrth y ffenest ac edrych ar y gwely rhosod newydd.

'Ti 'di gweithio'n galed yn yr ardd, Nia. Mae'n edrych yn grêt... dy damaid bach o nefoedd. Yr ardd a'r tŷ ydy dy fywyd di, ynde? Fasai gen ti ddim byd hebdda i,' meddai. 'Fasai'r siop fach 'na byth wedi talu am gartre fel hyn i ti, Nia. Fi roiodd hyn i gyd i ti. **Mae arnat ti i mi**.'

'Does arna i ddim byd i ti,' meddai hi'n dawel, 'dim byd o gwbl.'

Edrychodd Nia ar ei dwylo'n crynu. Roedd hi eisiau **ffrwydro** yn erbyn ei gŵr, ond roedd hi wedi ffrwydro unwaith o'r blaen. Roedd hi'n gwybod beth fasai'n digwydd. Fasai rhaid iddi ddod o hyd i'w **dewrder** eto?

'Bydd Arwyn adra'n fuan a dw i isio i ti fynd. Dw i ddim isio i Arwyn ein gweld ni fel hyn. Mae gynno fo ei fywyd o'i flaen. Dos! Plis. Er mwyn Arwyn.' Roedd hi'n dechrau swnio'n fwy **cadarn**.

'Ti 'di dwyn yr **ysbryd** oddi arna i. Bob blwyddyn, ti'n dwyn mwy a mwy oddi arna i ac yn gwneud i mi ddibynnu arna' ti.

ar bigau'r drain – *on tenterhooks*	asgwrn (esgyrn) – *bone(s)*
pledio – *to plead*	Mae arnat ti i mi – *you owe me*
ffrwydro – *to rage, to explode*	
dewrder – *bravery*	cadarn – *firm*
ysbryd – *spirit*	

Dw i 'di rhoi ugain mlynedd i ti, ac mae fy amser i wedi dod. Fy amser i... ac amser Arwyn.'

Roedd hi wedi dweud gormod a chollodd y dyn bach ei **dymer**. Heb **rybudd**, gwelodd ei wraig ei **ddwrn** yn cau'n dynn. Dim ond modrwy briodas ei gŵr yn rhuthro ati hi welodd Nia. Am ryw reswm wnaeth hi ddim symud o gwbl. Roedd fel tasai'n gwybod na fasai Gareth yn ei brifo hi eto. Ac roedd hi'n iawn – stopiodd y dwrn fodfedd o'i llygad; y llygad oedd yn ddu yn barod. Aeth yr orenfa'n ddistaw. Cododd Nia o'r soffa ar ôl rhai eiliadau a cherdded heibio i'w gŵr yn hyderus.

'Mae hi'n nos Sul. Dw i'n ffonio Mam. Bydd hi'n meddwl bod rhywbeth yn bod os na fydda i'n ffonio.'

'Ia, ffonia'r **hen sguthan**. Rho'r newyddion da iddi.'

Dechreuodd Gareth grwydro eto. Roedd yn rhwystredig, yn cerdded o gwmpas y stafell. Roedd rhywbeth wedi newid, ond fedrai o ddim deall beth.

'Helô Mam...?' Roedd ei llais yn ddistaw, ei llygaid yn llenwi. 'Sut dach chi...?'

'Ydy o 'di brifo ti eto, Nia? Duda wrtha i.' Roedd ei mam yn medru clywed yn llais Nia bod rhywbeth yn bod.

'Mam... Mam... dw i 'di...'

'Digon, Nia. Digon. Dw i'n mynd i ffonio'r heddlu,' meddai'n gryf.

'Peidiwch!' meddai Nia. 'Dw i'n iawn, wir. Mae popeth wedi'i sortio, Mam.'

tymer – *temper*	rhybudd – *warning*
dwrn – *fist*	
hen sguthan – *old witch (literally: old woodpigeon)*	

'Sdim ots, Nia, dw i'n ffonio'r heddlu. Dw i ddim yn eistedd yn y sbyty eto yn aros i glywed be 'di'r canlyniad. Digon.'

Trwy gornel ei llygad gwelodd Nia Gareth wrth y ffenest, yn syllu ar yr ardd. Roedd yna olwg **wedi ei drechu** arno fo, yn dal i geisio deall beth oedd wedi newid.

'Plis, Mam, peidiwch â phoeni amdana i. Mi wna i ffonio chi'n nes 'mlaen.'

Wnaeth Nia ddim rhoi cyfle i'w mam ei hateb hi. Tarodd y botwm coch. Gan ymlacio i mewn i'r soffa unwaith eto, sylwodd ar Arwyn yn dod i fyny'r dreif, **clustffonau** am ei ben a bag dros un ysgwydd; yn edrych fel pob hogyn arall un deg wyth oed. Aeth o heibio i ffenest yr orenfa heb sylwi ar lygaid ei dad yn dilyn ei daith. Tyfodd gwên fach **falch** ar wyneb Gareth wrth iddo wylio ei fab.

'Helô. Mam, Dad! Dw i adra! Dach chi yn yr orenfa?' daeth llais Arwyn o'r cyntedd. Atebodd ei rieni ar yr un pryd ond ag atebion gwahanol, fel tasai ei fam ddim eisiau ei gŵr yn rhan o'r teulu bellach.

'Ydan!'

'Ydw!'

Agorodd drws y cyntedd a brysiodd y dyn ifanc i mewn **fel cath i gythraul**. Taflodd y bag ar y soffa, ac eistedd ar y gadair freichiau. Bron iddo fo fethu gweld ei rieni. Roedd Arwyn yn edrych ar ffenestri'r to, yn gwylio'r golau'n diflannu'r araf. Trodd at ei fam,

---

wedi ei drechu – *defeated* clustffonau – *headphones*

balch – *pleased, proud*

fel cath i gythraul – *like a bat out of hell (literally: cat)*

'Dw i 'di blino'n lân. Be sy i swper, Mam?'

'Dw i ddim yn gwybod eto. Sut hwyl gest ti yn y gêm?'

'O, iawn. Dwy gôl i gyd. 'Swn i 'di medru chwarae'n well...'

Aeth ei dad â sylw Arwyn.

'Wnest *ti* sgorio?'

Edrychodd Arwyn i'r dde, fel tasai wedi clywed **pry blin** yn yr ystafell, ac wedyn parhau,

'... teimlo cant y cant, a deud y gwir. O'n i'n poeni amdanoch chi, Mam, am ryw reswm. Beth bynnag, amser cwrw,' ac yn sydyn, roedd o ar ei draed. Sylwodd ar wyneb ei fam... y llygad du... y dwylo budr... a'r llygaid blinedig, trist.

'Be sy'n bod, Mam? Ydy Dad 'di brifo chi eto?' meddai'n boenus.

Roedd ei dad yn anghyfforddus wrth y ffenest.

'Dydy pethau ddim fel ti'n meddwl. Ti'n gorfod credu fi, Arwyn,' dwedodd ei dad. Edrychodd Arwyn tuag at y ffenest. Oedd o newydd glywed rhywbeth?

'Mae o'n iawn, Arwyn,' meddai Nia. 'Roedd pethau'n wahanol tro 'ma.'

'Sori, Mam... Pwy sy'n iawn?'

'Dy dad. Mae o'n trio esbonio...'

'O, Mam, dw i wedi **drysu**. Bydd o yn y clwb amser hyn... Fel pob pnawn Sul.'

Chlywodd hi ddim geiriau olaf Arwyn. Roedd gynni hi fwy o ddiddordeb yn y ffigur wrth y ffenest.

'Gadewch i mi nôl potel o gwrw i fi fy hun a gwydraid o win i chi, Mam. Fedrwn ni eistedd efo'n gilydd a sortio bob dim. Iawn?'

---

pry blin – *an angry fly* drysu – *to be confused*

Roedd Nia yn mynd i siarad ond wnaeth hi ddim. Roedd hi'n edrych ar Gareth oedd **yn wên o glust i glust**, mor falch o Arwyn ei fab. Ond dipyn wrth dipyn, medrai Nia weld ei gorff yn mynd, yn diflannu, fel tasai Gareth yn rhyddhau ei deulu o'r diwedd. Gwyliodd yn dawel wrth i'w gŵr ddiflannu i'r aer.

Aeth Arwyn yn syth am ddrws y gegin. Doedd yna ddim cyfle i Nia ei **rybuddio** fo. Agorodd Arwyn y drws a stopio yn sydyn.

'Be ar y ddaear...?' Ceisiodd ddeall. Symudodd ei lygaid yn araf o ochr i ochr, yn edrych ar y llanast, yn trio deall beth oedd wedi digwydd. O'r diwedd, stopiodd ei lygaid grwydro, a syllodd ar y gwaed; gwaed oedd bron yn sych; gwaed coch tywyll. Yna, sylwodd Arwyn ar y gyllell wrth y bwrdd, yn goch â gwaed. Yn arwain o'r gyllell roedd dwy linell fel llinellau tram yn diflannu o dan y drws cefn ac i mewn i'r ardd. Aeth Arwyn yn oer at ei esgyrn.

'Mam?' meddai'n araf iawn. 'Be ddigwyddodd? Lle mae Dad?' Roedd o'n dechrau mynd i banig, ei ben yn troi, ei galon yn curo'n gyflym. 'Mam...?'

Roedd ei fam erbyn hyn yn sefyll wrth y ffenest lle'r oedd ei gŵr wedi bod, dagrau yn rhedeg i lawr ei bochau. Estynnodd fraich tuag at Arwyn heb ddweud gair. Symudodd o'n araf tuag ati hi, y dagrau'n llifo i lawr ei wyneb. Syrthiodd i'w breichiau.

'M... Ma... Mam,' roedd o'n cael trafferth siarad, '... be... be dach chi 'di wneud?' meddai gan **dagu** ar ei ddagrau.

---

yn wên o glust i glust – *grinning from ear to ear*

rhybuddio – *to warn*

tagu – *to choke*

Atebodd hi ddim. Trodd ei phen i edrych ar yr ardd a'r gwely rhosod newydd. Rhoiodd Arwyn ei fraich o gwmpas ei fam a rhoi ei ben ar ei hysgwydd. Roedd Arwyn wedi cael ei ateb. Sychodd ei ddagrau, dal ei fam yn dynnach a throi i gyfeiriad yr ardd; i gyfeiriad y gwely rhosod newydd. I gyfeiriad ei thamaid bach hi o nefoedd.

Y Cynllun
Colin Hughes

Fienna ym mis Ionawr 1979. Roedd Huw Penmon wedi teithio drwy'r nos ar drên y Prinz Eugen o Orllewin yr Almaen. Rŵan roedd o'n sefyll ar ei ben ei hun wrth risiau'r orsaf, yn ôl y **gorchymyn**. Roedd o'n gwylio pobl eraill o dan ei het lydan newydd. Roedd yr orsaf yn **fwrlwm** o ffrindiau a theulu, yn mynd allan i'r strydoedd oer.

Doedd neb yn edrych arno. Ond am un dyn. Roedd Jac Crisp yn adnabod y Cymro yn syth o'i lun. Roedd o wedi tyfu barf ers y llun, fel roedden nhw wedi gofyn iddo wneud. Chwarae teg, meddyliodd Crisp wrth i Penmon grafu'r barf mawr. Roedd o'n ifanc iawn, ond roedd gynno fo botensial, meddai cyd-weithwyr Crisp yn Llundain.

'Helô, Huw dw i'n cymryd... Jack Crisp. Croeso yn ôl i Fienna,' meddai Crisp yn gyfeillgar mewn acen Americanaidd. 'Chi'n edrych fel ditectif preifat mewn ffilm o'r pumdegau.'

'Neu, un o **ysbïwyr** y rhyfel oer,' meddai Penmon, gan sychu ei wefusau ar hances. Rhoiodd y papur newydd Almaeneg yn y bin a chanu miwsig y ffilm *The Third Man*.

'Iawn,' atebodd Crisp gan edrych o'u cwmpas yn nerfus. 'Sut oedd y daith? 'Swn i ddim yn licio cysgu efo pobl ddiarth,

---

gorchymyn – *command, order*   bwrlwm – *bustle*

ysbïwr (ysbïwyr) – *spy (spies)*

gan ofni cael fy neffro gan y **gwarchodwyr** ffin blin. Beth am frecwast? Selsig Fiennaidd falle?'

'Fasai hynny'n braf. Dim ond coffi dw i wedi ei gael, ar ôl gweld y Danube o ffenest y trên,' atebodd Huw. 'Beth am ddathlu Dydd Calan? Beth am fynd i'r stondin fwyd ger y Tŷ Opera?'

Wrth iddyn nhw fwyta selsig efo mwstard, roedd tramiau yn mynd heibio'r adeiladau Baróc ar hyd y Ringstrasse lydan. Edrychodd Huw ar hyd sgwâr y Schwarzenbergplatz ar y **cerflun** o filwr y Fyddin Goch, 1945.

Dilynodd Crisp lygaid Penmon. 'Rhag ofn i bobl Fienna anghofio,' deudodd o yn **sinigaidd**. 'Mae Fienna yn rhan o'r **Llen Haearn** ers dros dri deg mlynedd, Huw, i'r dwyrain o Prague a Berlin. Mae mwy na 3,000 o bobl yn gweithio yn y byd **ysbïo** o hyd, meddai rhai. Dyma hanes, tensiwn, ofn. Ond cyfle hefyd.' Gwenodd o. 'Cyfle i chi a fi. Diolch am gytuno i'n helpu ni, Huw.'

'Croeso. Dw i'n edrych ymlaen at weithio efo chi yma. Dw i wrth fy modd efo'r ddinas,' atebodd Penmon yn gwrtais.

★

Aethon nhw drwy drydedd sector y ddinas i gartre Crisp. Roedd y cyntedd wedi'i addurno efo hen deils. Agorodd Crisp ei focs post metel, cyn troi at ddynes ddel mewn côt ffwr, oedd yn dod allan o'r lifft cawell.

gwarchodwr (gwarchodwyr) – *guard(s)*	
cerflun – *statue*	sinigaidd – *cynical*
Llen Haearn – *Iron Curtain*	ysbïo – *to spy*

'*Grüss Gott*, Eva, sut mae?'

'*Sérvus*, Jac!' meddai hi mewn acen Fiennaidd.

'Dyma Huw. Fydd o'n aros efo fi am ychydig. Huw, mae Eva yn byw uwchben fy fflat i ers llynedd.'

'Sut mae, *Schatz*? Neis i weld ffrind ifanc fy nghymydog dirgel. Rhaid i mi fynd, ond wela i chi heno, yn y bar.'

Gwenodd Huw wrth wrando ar hyn.

'Tyrd, Huw, i ni gael sgwrs breifat,' meddai Crisp yn **ddiamynedd**.

Ar ôl mynd i mewn i'r fflat, dechreuodd Crisp eto. 'Mae gynnon ni broblem dros y ffin. Problem efo **gwyddonydd** o'r enw Gregor Henkel. Mae o'n dod o Ddwyrain yr Almaen ac yn gweithio yn Tsiecoslofacia hefyd. Mae o'n anfon gwybodaeth bwysig aton ni weithiau, a dan ni'n poeni amdano. Dan ni'n ofni ei fod o mewn peryg. Felly mae angen dod â fo i'r Gorllewin ar frys.'

'Sgynnoch chi gynllun?' gofynnodd Penmon.

Aeth Crisp ymlaen. 'Mae'r ffin rhwng Tsiecoslofacia ac Awstria yn anodd iawn – **weiren bigog**, **gynnau** ac yn y blaen, a does 'na ddim trenau rhwng y ddwy wlad. Ond mae Henkel wedi cael gwahoddiad i roi darlith mewn **cynhadledd**, Bloc **Dwyreiniol**, yn Budapest dydd Sadwrn a dydd Sul.'

'Dydy'r ffin rhwng Hwngari ac Awstria ddim yn anodd, dw i'n cymryd,' meddai Penmon.

'Ddim mor anodd, *Schatz*, ond yn rhy anodd iddo fo ddod

diamynedd – *impatient*	gwyddonydd – *scientist*
weiren bigog – *barbed wire*	gwn (gynnau) – *gun(s)*
cynhadledd – *conference*	dwyreiniol – *eastern*

allan ar ei ben ei hun. Felly, dan ni'n mynd i ddefnyddio clwb rygbi Celtaidd Fienna i gael Henkel allan. Mae'r clwb yn cystadlu yn Budapest dros y penwythnos.'

'Ydy Henkel yn ddyn rygbi?' Roedd pen Penmon yn troi.

'Gadewch i mi esbonio,' meddai Crisp yn dawel. 'Ro'n i'n arfer chwarae i'r clwb weithiau. Mae'r aelodau yn dod o wledydd gwahanol. Maen nhw'n teithio'r ffordd hon yn aml. Mae pawb, y chwaraewyr a'r **cefnogwyr**, yn teithio ar un fisa wedi ei threfnu bythefnos ymlaen llaw. Maen nhw'n gweithio efo **Plaid Sosialaidd** Awstria i wneud teithiau i'r Dwyrain yn fwy hwylus, ac maen nhw'n **llwgrwobrwyo**'r gwarchodwyr efo sigaréts. Mae'r trip yn gyfle perffaith i **gipio** Henkel.'

'Beth ydw i i fod i'w wneud?' meddai Penmon, yn poeni.

'Wel, dach chi'n ffitio ein cynllun yn berffaith. Mae gynnoch chi **ddinasyddiaeth ddeuol**, Awstria a'r Deyrnas Unedig, ac ar ôl tyfu i fyny yn Fienna dach chi'n siarad Almaeneg heb acen Saesneg. Dach chi'r un taldra a'r un pwysau â Henkel, mwy neu lai. Mae o dipyn bach yn hŷn ond dach chi'n edrych yn eitha tebyg, ar ôl tyfu'r barf ofnadwy yna. Roedd hynny yn bwysig iawn. Diolch i chi am wneud hynny, Huw, dw i wedi sylwi ei fod o'n cosi!'

'**Arglwydd** annwyl! Dach chi eisiau i fi newid lle efo fo ar y ffin?' Aeth Penmon yn wyn.

cefnogwr (cefnogwyr) – *supporter(s)*	
Plaid Sosialaidd – *Socialist Party*	llwgrwobrwyo – *to bribe*
cipio – *to snatch*	
dinasyddiaeth ddeuol – *dual citizenship*	Arglwydd – *Lord*

'Dyna'r cynllun, Huw. A does dim amser i **oedi**. Felly, da iawn am drefnu pethau mor gyflym cyn gadael Llundain.'

'Dim ond gwneud beth wnaethoch chi ofyn i mi,' atebodd Penmon mewn sioc. 'Dw i'n **ymwelydd** swyddogol ym Mhrifysgol Fienna rŵan, efo pàs diogelwch a cherdyn llyfrgell. Mi wnes i gysylltu efo'r clwb rygbi i chwarae a chefnogi'r tîm y tymor yma.'

'Da iawn. Gawson ni basbort Awstria newydd i chi efo llun Huw blewog, yn gwisgo'r sbectol wnes i anfon atoch chi, a dw i wedi eich cofrestru chi efo cyfeiriad fy fflat. Dan ni wedi paratoi yn dda, dw i'n meddwl. Ond mae rhywbeth bob amser yn **mynd o'i le**! Rhaid bod yn barod am hynny. *Belt and braces*, fel dach chi'n deud yn y **Deyrnas Unedig**!'

Mi gafodd sigarét arall. 'Gawn ni siarad am y manylion efo Eva heno. Mae hi'n gweithio i ni'n rhan-amser. Gewch chi orffwys rŵan, Huw. Dw i'n mynd i gasglu eich pasbort newydd chi, ond wnawn ni gyfarfod mewn tafarn yn y ddegfed sector. Gewch chi gwrdd â phobl o'r clwb rygbi. Maen nhw'n yfed yn Dravniceks ar ôl ymarfer bob nos Iau. Wela i chi tua 10 o'r gloch. *Ciao*.'

*

Roedd Dravniceks, neu Baron Dravniceks i ddefnyddio'r enw llawn, yn far **anghyffredin**, hyd yn oed yn Fienna. Doedd dim arwydd, ac roedd rhaid i Penmon guro'r drws am amser hir. Ar

oedi – *to delay*	ymwelydd – *visitor*
mynd o'i le – *to go wrong*	Y Deyrnas Unedig – *United Kingdom*
anghyffredin – *unusual*	

ôl ychydig agorodd y drws ddigon i Huw fynd i lawr y grisiau ac i mewn i'r ystafell fawr. Gwelodd olygfa ddramatig. Roedd yn brysur, yn llawn mwg ac yn swnllyd fel bar modern, ond efo **canhwyllau** ar y byrddau ac ar y wal, a 'Requiem' Mozart yn chwarae yn uchel.

Sylwodd Huw ar hen ddyn efo mwstás mawr yn agor y drws. Roedd yn gwisgo siaced las y **fyddin**. Ar ôl iddo **wirio** pobl ar sgrin deledu fach, roedd o'n agor y drws trwy dynnu rhaff goch i lawr efo **cleddyf**. Baron Dravnicek, meddyliodd Huw – fel Fienna ei hun roedd wedi addasu i'r byd modern.

Fe ddaeth Huw o hyd i Crisp ac Eva. Roedden nhw'n eistedd gyferbyn â'i gilydd mewn *séparée* coch efo llen fawr a golau gwan. Eisteddodd Huw wrth ochr Eva ac archebu gwydraid o win Grüner Veltliner, fel y ddau arall.

'Huw,' dechreuodd Crisp, 'mae Eva yn gweithio efo ni ers amser hir. Mae hi'n gwybod llawer am y Llen Haearn, yn enwedig Tsiecoslofacia a Hwngari.'

Torrodd Eva ar ei draws. 'Mi fydda i'n teithio efo chi fel un o'r cefnogwyr o'r **Cenhedloedd Unedig**, i gadw llygad ar bawb ac i edrych ar dy ôl di, *Schatz*. Wna i helpu i **dynnu sylw'r** gwarchodwyr hefyd. Er, does dim angen lot o help ar y grŵp. Maen nhw'n teithio'r ffordd yna yn aml ac maen nhw fel arfer yn eitha, hmm, **hwyliog**. Mis diwetha, ar y ffordd i Prague, roedden

cannwyll (canhwyllau) – *candle(s)*	byddin – *army*
gwirio – *to check*	cleddyf – *sword*
Cenhedloedd Unedig – *United Nations*	
tynnu sylw – *to distract, to gain someone's attention*	
hwyliog – *happy, spirited*	

nhw'n chwarae rygbi wrth aros am y pasborts. Mi wnaeth un gicio'r bêl dros y ffens i *No Man's Land*. Roedden nhw'n **mynnu** ei chasglu hi cyn teithio ymlaen. Doedd y gwarchodwyr ddim yn gwybod beth i'w wneud, felly wnaethon nhw eu symud ymlaen yn gyflym.

Siaradodd Huw am ei waith yn y **pencadlys** yn Llundain, jobs y Gwasanaeth, jobs syml yn y swyddfa. Roedd Crisp yn gwybod hyn, a mwy, ond roedd o eisiau gwylio ei gyd-weithiwr. Heb ei gôt a'i het, roedd Penmon yn edrych fel athro ysgol ifanc, meddyliodd. Efo'r barf a'r sbectol, dim ond sgarff coleg oedd ei angen arno. Roedd Crisp yn nerfus, ond roedd rhaid iddyn nhw **fwrw ymlaen**.

'Iawn, Huw, gadewch i ni fynd trwy'r cynllun eto. Fe fyddwch chi'n defnyddio eich pasbort Awstria newydd, gyda'r llun o'r barf a'r sbectol, i deithio efo'r clwb i Budapest. Mi fydd Henkel yn cymryd eich lle ar y daith yn ôl nos Sul. Felly, fydd y nifer o bobl ar y daith yn aros yr un peth. Fe fydd Eva yn rhoi eich pasbort chi i Henkel ymlaen llaw, wedi ei stampio ar y ffordd, hefyd eich côt a'ch het fawr.'

'Beth am y teithwyr eraill ar y bws? Beth fyddan nhw'n dweud ar y daith yn ôl?' gofynnodd Eva.

'Mi fydd y rhan fwya o'r grŵp yn teithio ar ddau fws mini,' parhaodd Crisp. 'Fe wnawn ni'n tri deithio mewn car. Felly, fydd y teithwyr eraill ddim yn sylwi ar y newid. Fydd Henkel yn aros ger y car, yn **esgus** ei fod yn diodde o "**ben mawr**". Felly,

mynnu – *to insist*	pencadlys – *headquarters*
bwrw ymlaen – *to go ahead*	esgus – *to pretend*
pen mawr – *hangover (literally: large head)*	

Huw, peidiwch ag anghofio gadael i bobl eich gweld chi'n yfed ar y daith.'

'Iawn,' atebodd Penmon, 'mae cwrw Tsiec yn enwog, fydd yfed llawer ddim yn broblem'.

'Dim gormod, Huw!' Yfodd Crisp ychydig o win. 'Dydd Sul, fe fyddwch chi'n mynd yn ôl i Fienna ar drên Y Lehár. Fe fydd un o'n bois ni'n teithio o Fienna i Budapest y penwythnos yma, i roi tocyn trên dwy ffordd efo stamp cywir i chi. Yna, fyddwn ni'n gwneud copi gyda'r stamp cywir yn eich pasbort Prydeinig go iawn, heb farf wrth gwrs. Felly peidiwch anghofio **siafio** yn Budapest. Rhag ofn, fe fydd Eva yn cael tocynnau amgueddfa a thaith cwch ar y Danube – tystiolaeth o'ch trip i Budapest.'

'Dach chi'n gwybod mai **cyfansoddwr** oedd o?' gofynnodd Penmon.

Edrychodd Crisp yn flin. 'Pwy?'

'Lehár, cyfansoddwr Hwngaraidd. Wnaeth o sgrifennu opereta "**Y Weddw Lawen**".' Roedd Penmon yn falch i ddangos ei wybodaeth.

Chwerthin wnaeth Eva. 'Dw i ddim yn siŵr fydd gwraig Henkel yn Nwyrain yr Almaen yn hoffi'r jôc ar ôl iddo fo ddiflannu!'

Daeth dau chwaraewr rygbi i mewn i'r bar. Saeson oedden nhw. Wnaeth Crisp gyflwyno Penmon a'i 'bartner' Eva. Wnaethon nhw archebu jwg fawr o gwrw, cyn gofyn mwy o gwestiynau am Huw.

---

siafio – *to shave* cyfansoddwr – *composer*

Y Weddw Lawen – *The Merry Widow*

'Felly, mae gen ti enw Cymreig, Huw...' deudodd un o'r Saeson. 'Wyt ti'n chwarae rhif 10 fel Barry John?'

Gwenodd Huw. 'Mae gen i fy steil fy hun. Fydda i ond yn chwarae pan mae fy mhen-glin yn gryfach. Ges i **lawdriniaeth** chwe mis yn ôl. Dw i'n hapus i ddod efo chi i gyd dros y penwythnos, ac i ymuno yn y sesiwn hyfforddi nesa, falle.'

'Wel, fyddi di wrth dy fodd yn teithio efo ni. Dan ni'n chwarae yn erbyn Munich, Milan, Zagreb, Udine, Prague – llefydd bendigedig, ond dan ni'n teithio i lefydd, hmm, llai poblogaidd i dwristiaid hefyd. Mis nesa fyddwn ni'n teithio i Olomouc, ble mae 'na **garsiwn** o'r Fyddin Goch. Y llynedd roedden ni'n cael cinio yn Hotel Moskva efo pobl leol yn eu dillad dydd Sul pan ddaeth **swyddog** ifanc o'r fyddin Sofiet i mewn efo merch Tsiec. **Yn ara' deg**, fe wnaeth y bobl leol sefyll a gadael.' Ychwanegodd yn dawel, 'Trist.'

Er hynny, roedd y chwaraewr arall yn chwerthin. 'Ond falle iddyn nhw gael siom – roedd ein myfyrwyr Americanaidd ni wedi prynu pob pwdin ar y troli!'

★

Bore dydd Sadwrn, croesodd y clwb rygbi'r ffin heb broblem, gan neidio'r ciw ar ôl rhoi sigaréts Kent ar ben y pasborts. Roedd pob pasbort wedi'i lungopïo a'i wirio efo'r rhestr ar y fisa, ac roedd pawb yn edrych ymlaen at y penwythnos. Ond roedd Penmon yn dawel. Roedd popeth wedi cael ei drefnu yn ofalus ond roedd

llawdriniaeth – *surgical operation*	garsiwn – *garrison*
swyddog – *officer*	yn ara' deg – *slowly*

o'n meddwl am beth ddeudodd Crisp: mae rhywbeth yn gallu mynd o'i le. Ond beth?

Wrth iddyn nhw gyrraedd Budapest, roedd yr Athro Gregor Henkel yn barod i roi darlith o flaen mil o wyddonwyr a swyddogion. Fel arfer, roedd o'n edrych yn ddeallus iawn, ond heddiw roedd ei wyneb yn **sgleiniog** a **golygus**. Ochneidiodd yn ddigalon. Dim ond awr yn gynharach roedd ei **fòs milwrol** yn yr academi wedi rhoi'r gorchymyn iddo. Roedd Henkel, mae'n rhaid, wedi siafio ei farf mawr ar gyfer y ddarlith bwysig.

---

sgleiniog – *shiny*　　golygus – *handsome*

bòs milwrol – *military boss*

Y Bluen Goch

Sue Hyland

Edrychodd Meurig ar ei wats. Chwech o'r gloch. Roedd stafell newyddion y papur lleol yn wag, y **newyddiadurwyr** eraill wedi mynd adre yn gynnar. Adre i'w bywyd diflas, meddyliodd Meurig, y plant swnllyd a'r gwragedd **anniddorol**. Nos Wener arall o gyrri a chwrw a gwylio pennod o *Eastenders* neu ffilm ddiflas ar Netflix.

Doedd y gair 'diflas' ddim ym mywyd Meurig. Roedd yn mynd i'r dafarn am awr neu ddwy bob nos cyn mynd adre, ond dim heno. Roedd heno yn wahanol. Roedd yn gyffrous wrth feddwl am heno... trydan yn mynd trwy ei gorff. Casglodd ei **oriadau**, rhoi y darn papur yn ei boced, diffodd y golau a gadael yr adeilad.

Roedd hi'n dechrau bwrw glaw pan barciodd Meurig y car. Roedd y cyfeiriad ar y papur wedi mynd ag o i ran **flêr** o'r dre. Doedd o ddim yn medru gweld enw'r clwb, dim ond bwlb coch yn **fflachio** uwchben y drws. Anadlodd yn ddwfn cyn gadael y car.

pluen (plu) – *feather(s)*	
newyddiadurwr (newyddiadurwyr) – *journalist(s)*	
anniddorol – *dull*	goriad(au) – *key(s)*
blêr – *untidy, lowly*	fflachio – *to flash*

Sleifiodd Meurig trwy ddrws y clwb a chuddio yn y **cysgodion**. Edrychodd o un ochr i'r stafell i'r llall. Anadlodd. Popeth yn iawn. Doedd o ddim yn nabod y wynebau. Roedd ei **gyfrinach** yn ddiogel.

Roedd o'n chwys **o'i gorun i'w sawdl** a sychodd ei ddwylo ar ei drowsus. Teimlodd **wefr**. Roedd arogl *marijuana* yn ei ben fel niwl. Roedd yn anadlu'n gyflym. Aeth allan o'r cysgodion a mynd at y bar. Yno, roedd rhes o ferched yn eu plu coch a'u **sodlau** uchel, yn yfed coctels ac yn aros…

Oriau'n ddiweddarach, aeth Meurig yn ôl allan i'r stryd. Pwysodd yn erbyn y wal. Roedd hi'n **pistyllio bwrw glaw** erbyn hyn ac mewn munudau roedd o'n wlyb socian. 'Blydi hel, be ddiawl ti'n wneud, Meurig?' meddai, ei ben yn ei ddwylo **a'i geg fel cesail camel**.

Bob tro, roedd o'n teimlo'n euog yn meddwl am ei wraig, yn aros amdano fo. Cofiodd y foment roedd o wedi mynd i mewn i'r gwesty yn Efrog Newydd, yr un amser â hi. Hi. Siwan. Siwan, y stiwardes awyren. Mor hardd yn ei hiwnifform coch, ei sodlau uchel. Meddyliodd am ei gwên... trydan yn mynd trwy ei gorff.

---

sleifio – *to sneak* | cysgod(ion) – *shadow(s)*

cyfrinach – *secret*

o'i gorun i'w sawdl – *from head to toe*
(literally: from the top of his head to his heel)

gwefr – *thrill* | sawdl (sodlau) – *heel(s)*

pistyllio bwrw glaw – *to pour with rain*

ei geg fel cesail camel – *his mouth was very dry*
(literally: his mouth was like a camel's armpit)

Torrodd sŵn ambiwlans ar ei feddyliau. Yn araf, cerddodd Meurig at ei gar gan obeithio doedd dim heddlu o gwmpas. Doedd o ddim eisiau noson arall mewn **cell**. Roedd o wedi yfed gormod, siŵr o fod. Roedd o bron â **chael carchar** y tro diwethaf a doedd Siwan ddim yn gwybod, diolch byth. 'Am **dwpsyn**! Rhaid i mi stopio, rhaid i mi stopio,' meddai o drosodd a throsodd ar ei ffordd adre: 'Mi *wna* i stopio, dw i'n addo.'

Roedd popeth yn dawel pan ddaeth Meurig adre, ar ôl hanner nos. **Ymbalfalodd** am y swits golau yn y gegin. Roedd **ei geg fel llawr caets bwji** ac roedd o bron â marw am wydraid o ddŵr. Wedyn, gwelodd nodyn ar y bwrdd: 'Mae dy ginio di yn y ci,' darllenodd o. Meddyliodd Meurig am funud. 'Ond does gynnon ni ddim ci…' Roedd Siwan yn ddoniol iawn.

'Dw i mewn trwbl rŵan,' meddyliodd o. Yn ei frys, anghofiodd ffonio Siwan i ddweud ei fod o'n 'gweithio'n hwyr'. Tynnodd ei sgidiau a mynd i fyny'r grisiau yn dawel. Tynnodd ei ddillad a mynd i mewn i'r gwely. Diolch byth, roedd Siwan yn cysgu fel babi. Welodd Meurig mo'r bluen goch yn syrthio ac yn glanio ar ochr Siwan.

Cysgodd Meurig **gwsg y meirw**. Pan ddihunodd o, doedd **dim siw na miw** o Siwan. Bob bore Sadwrn, basai Meurig yn

---

cell – *prison cell* | cael carchar – *to be imprisoned*

twpsyn – *idiot* | ymbalfalu – *to fumble about*

ei geg fel llawr caets bwji – *his mouth was very dry (literally: his mouth was like the floor of a budgie's cage)*

cwsg y meirw – *a very good night's sleep (literally: the sleep of the dead)*

dim siw na miw – *not a peep*

dihuno i arogl coffi ffres a bacwn yn ffrio a sŵn Siwan yn canu i gân ar y radio. Roedd hi'n hoff iawn o ddawnsio Salsa wrth ffrio bacwn. Y bore yma, roedd popeth yn dawel. 'Efallai ei bod hi wedi mynd i siopa,' meddyliodd Meurig. Aeth i'r gawod i olchi'r **persawr** rhad a mynd i lawr y grisiau. Cafodd dipyn o sioc. Roedd Siwan yn eistedd wrth fwrdd y gegin yn darllen papur newydd. Roedd ei hwyneb yn ddigon i **suro** hufen.

'Wel?' meddai hi, heb edrych i fyny.

Roedd o'n hyderus iawn, roedd ei gyfrinach yn ddiogel. 'Wel beth? Ro'n i'n gweithio'n hwyr,' atebodd o, yn rhy hyderus.

Doedd Meurig ddim yn barod am beth ddaeth nesa.

'Wel beth? Wel beth! Yn "gweithio'n hwyr" eto? Lle oeddet ti'n gweithio, Meurig, tan ar ôl hanner nos? Ti'n dod adre, wedi meddwi ac yn drewi o bersawr rhad. Ti'n dwp iawn i feddwl mod i ddim yn gwybod am dy gyfrinach fach fudr!

'Wnest ti **addo'r haul a'r lleuad** i mi, Meurig. Wnes i adael fy swydd berffaith. I beth? Er mwyn gŵr sy'n dweud celwydd, celwydd a mwy o gelwydd. Aros efo *ti* am **weddill** fy mywyd? Well gen i grafu fy llygaid allan efo siswrn poeth!'

Yna, rhoiodd Siwan y bluen goch ar y bwrdd ac edrych i lygaid Meurig, heb ddweud gair arall.

Edrychodd Meurig ar y bluen goch, ei galon ar ras. Roedd ei wraig yn **poeri** geiriau arno fo fel cawod oer. Roedd ceg Meurig yn agor ac yn cau fel pysgodyn aur. Aeth y ddau'n dawel.

persawr – *perfume*	suro – *to turn sour*
addo'r haul a'r lleuad – *to promise the earth (literally: to promise the sun and the moon)*	
gweddill – *the rest*	poeri – *to spit*

Doedd dim sŵn ond am y cloc yn ticio. **Yn annisgwyl**, daeth y dagrau i'w lygaid, yn boeth fel pinnau. 'O Dduw, mae Siwan yn gwybod,' meddai o dan ei wynt.

'Wel? Dw i'n aros!' **hisiodd** Siwan, ei llygaid yn fflachio.

Llyncodd Meurig ei boer. 'Dw i'n sori, Siwan. Byth eto. Mi wna i stopio, dw i'n addo. Ti werth y byd i mi, Siwan... ond weithiau, dw i angen rhywbeth... rhywbeth gwahanol, cyffro, cic...'

Roedd Siwan yn flin eto. 'Cic? Mi wna i roi cic i ti! Dwyt ti ddim yn byw yma yn fy nhŷ *i* a **bihafio fel ci drain**!' sgrechiodd hi. 'Dos o 'ma rŵan, Meurig, cyn i ti ddifaru.'

'Ond – ond does gen i unman i fynd!' meddai Meurig mewn sioc.

'Dy broblem di,' poerodd Siwan. 'Dos rŵan, Meurig, neu fydd pawb ar y papur newydd yn gwybod amdanat ti a dy gyfrinach. Stori fawr: "Bywyd Budr y Bòs!"'

Deg munud yn ddiweddarach, roedd car Meurig yn diflannu i lawr y dreif. Dim ond deg o'r gloch y bore oedd hi, ond cafodd Siwan wydraid mawr o win. Ar ôl yfed y gwin, aeth i fyny'r grisiau efo bagiau du a siswrn. Agorodd gwpwrdd dillad Meurig. Yn gyntaf, tynnodd ei siwtiau **Eidalaidd** allan o'r cwpwrdd.

---

yn annisgwyl – *unexpectedly*

hisio – *to hiss*

llyncodd Meurig ei boer – *Meurig gulped*

bihafio – *to behave*

fel ci drain – *idiom. a womanizer*
(literally: like a dog who lives in the hedge)

Eidalaidd – *Italian*

Snip! Un **llawes**. Snip, snip! Dwy lawes. 'O, dyma braf.' Roedd hi'n chwerthin rŵan. Trowsus nesa. Ar ôl pum munud, siorts oedden nhw. Roedd hi'n torri fel dynes wyllt. Crysau Ralph Lauren, teis sidan, siwmperi cashmir, sgidiau, sanau... Aeth hi drwy bopeth **fel tân gwyllt**. Wedyn, rhoiodd hi ei drôns ar y gwely. Meddyliodd am Meurig. Un ar ôl y llall, aeth ati i dorri...

Meddyliodd hi am funud, wedyn aeth hi i lawr i'r gegin. Tynnodd hi fag o **gorgimychiaid** o'r rhewgell. Yn ôl yn y stafell wely, rhoiodd hi gorgimychiaid ym mhocedi ei 'siorts'. Y stafell ymolchi oedd nesa a rhoiodd hi gorgimychiaid yn ei bersawr Giorgio Armani. Roedd Siwan wedi gorffen erbyn hanner dydd. Rhoiodd hi bopeth mewn bagiau du a'u taflu nhw i lawr y grisiau. Ar ôl rhoi'r bagiau tu allan i'r tŷ, aeth i wneud gwydraid arall o win. Roedd y gwin yn felys. Roedd **dial** yn felys.

'Mae gen i gyfrinach hefyd, Meurig,' meddai Siwan efo gwên. 'Dw i wedi bod yn glanhau'r tŷ bach efo dy frws dannedd. Be maen nhw'n ddweud? Llygad am lygad, dant am ddant...'

---

llawes – *sleeve* fel tân gwyllt – *like wildfire (literally: a bonfire)*

corgimwch (corgimychiaid) – *prawn(s)*

dial – *revenge, to take revenge*

Crwydro
Tedy Lewis

'Ble ti'n mynd, boi?' gofynnodd dyn y lorri mewn llais uchel.

'Unrhyw le heb haul, plis!' dywedodd Matt gan chwerthin.

Roedd Matt yn cerdded gyda'i fag mawr ers oriau, yn aros i yrrwr stopio a'i achub rhag yr haul. Roedd hi'n ddiwrnod poeth iawn, dim cwmwl yn yr awyr. Y diwrnod poethaf yn Seland Newydd ers blynyddoedd. Dim rhyfedd bod y ffordd yn wag. Dim rhyfedd bod ei feddwl yn **crwydro**.

'Dydy hi ddim yn ddiwrnod da i gerdded, ydy hi?' gofynnodd dyn y lorri.

'Nac ydy, wir!' dywedodd Matt.

'Dere mewn i'r lorri! Mae bach o **annibendod**, ond mae lle i ti eistedd rhwng y dillad a'r CDs,' awgrymodd y dyn. 'Paid â phoeni am y gath. Mae hi'n hoffi pobl!'

Doedd Matt ddim yn gwybod beth i'w feddwl o'r dyn yma. Roedd gynno fo farf hir a dau glustdlws yn ei drwyn. Hefyd, roedd sticeri cathod ar waliau'r lorri ac roedd y llawr yn llawn o deganau anifeiliaid am ryw reswm. Ond pwy oedd Matt i gwyno ar ddiwrnod poeth? Aeth i mewn i'r lorri ac eistedd ar y sedd, yn gobeithio basai'r gath yn ei hoffi o.

'Felly, be mae boi fel ti'n wneud yn crwydro'r wlad yma?' gofynnodd y dyn od.

---

crwydro – *to roam* annibendod – *mess*

'Dw i'n cerdded o dde i ogledd Seland Newydd. Breuddwyd fy nhad. **Llongwr** oedd o. Roedd o wastad yn siarad am ei deithiau o gwmpas y byd, ac roedd o'n siarad am Seland Newydd fel nefoedd. Yn anffodus, fe fuodd o farw cyn cael cyfle i gerdded o'r de i'r gogledd. Felly, dw i yma i **wireddu** ei freuddwyd o.'

'Dyna stori drist,' dywedodd dyn y lorri gan sychu deigryn o'i lygad.

'Ac ar hyn o bryd, dw i ar fy ffordd i'r **man mwya deheuol**!' dywedodd Matt, yn trio newid y pwnc. 'Ond fel dwedoch chi, crwydro ydw i. Do'n i ddim yn gwybod y basai'r daith mor anodd!... Gyda llaw, beth ydy'ch enw chi?'

'Archie,' atebodd. 'Be ydy dy enw di?'

'Mateo, ond mae pawb yn fy ngalw i'n Matt.'

'Mateo... Enw ecsotig. Ac mae gen ti **acen** wahanol hefyd...' dywedodd Archie.

'Ding, ding, ding! Ti'n gywir! Dw i'n dod o dre hyfryd Medellín, Colombia, cartre'r coffi, y traeth a'r miwsig,' atebodd Matt.

'Colombia? Dyna pam rwyt ti'n gallu cerdded mewn tywydd poeth!' dywedodd Archie.

Chwarddodd y ddau ddyn yn uchel. Yn sydyn, stopiodd Matt boeni am y gath a'r arogl od yn y lorri. Falle ei fod e wedi cael yr **argraff anghywir**. Roedd Archie yn ddyn da.

llongwr – *sailor* gwireddu – *to realise*

man mwya deheuol – *the most southerly point*

acen – *accent* argraff anghywir – *wrong impression*

Aeth y sgwrs ymlaen, ac ymlaen, ac **mewn dim** roedd y lleuad yn **disgleirio** yn yr awyr.

'Edrycha ar yr amser! Mae'n naw o'r gloch!' dywedodd Matt.

'Ti'n iawn! Well i ni ffeindio rhywle i stopio nawr. Dw i wedi gyrru am amser hir. Mae'n amser cysgu,' atebodd Archie.

'Well i fi ffeindio rhywle i godi fy mhabell, 'te.'

'Ie, sori, ond does dim lle i ti yn y lorri! Does dim digon o le i'r tri ohonon ni!' dywedodd Archie gan edrych ar y gath. 'Ond croeso i ti adael dy fag yn y lorri dros nos. Dwyt ti ddim eisiau piwmas yn ei ddwyn e!'

'Dw i ddim yn credu bod piwmas yn Seland Newydd. Ond diolch, fe wna i dderbyn dy gynnig di. Ga i adael y bag ar y sedd?' gofynnodd Matt.

'Wrth gwrs!' atebodd Archie.

'Diolch o galon. 'Nest ti achub fy mywyd i heddiw!' dywedodd Matt.

'Dim o gwbl. Wela i di yn y bore. Mae tua 80 milltir tan y garej nesa. Nos da!' dywedodd Archie.

Yna, aeth Matt â'i babell allan o'r lorri. Cododd y babell ar ymyl y ffordd, ac aeth yn syth i gysgu.

★

Dihunodd Matt yn gynnar. Achos y gwres neu sŵn yr adar yn canu. Roedd **pelydrau**'r haul yn dod trwy ddrws y babell. Roedd

---

mewn dim – *in no time*	disgleirio – *to shine*
pelydryn (pelydrau) – *ray(s)*	

diwrnod arall wedi dod. Yfodd ddŵr o botel ac aeth allan o'r babell. Roedd yn barod am damaid bach o frecwast cyn dechrau teithio eto.

'Helô byd! Diwrnod arall, **antur** arall. Waw, mae'n boeth yn barod, on'd ydy hi, Archie?'

Ond doedd Archie ddim yna. Dim lorri, dim cath... dim bag.

Roedd Matt ar ei ben ei hun eto. Dechreuodd ei feddwl grwydro.

---

antur – *adventure*

Geirfa

acen – *accent*
adleisio – *to reverberate, to echo*
adlewyrchu – *to reflect*
addasu – *to adapt*
addo'r haul a'r lleuad – *to promise the earth (literally: to promise the sun and the moon)*
afal pwdr – *rotten apple*
anghyfforddus – *uncomfortable*
anghyffredin – *unusual*
angladd – *funeral*
amddiffyn – *to protect, to defend*
anadl – *breath*
anhrefnus – *unruly*
annibendod – *mess*
anniddorol – *dull*
antur – *adventure*
ar bigau'r drain – *on tenterhooks*
ar fin – *about to*
ar flaenau'i thraed – *on the tips of her toes*
ar waelod – *at the bottom of*
arbenigwr ymddygiad – *behavioural expert*
Arglwydd – *Lord*
argraff anghywir – *wrong impression*
arogli – *to smell*
asgwrn (esgyrn) – *bone(s)*
atgof(ion) – *memory (memories)*
awel – *breeze*
awtistig – *autistic*

balch – *pleased, proud*
beio – *to blame*
bihafio – *to behave*
blêr – *untidy, lowly*
blewyn – *a strand of hair*
boddi – *to drown*
bòs milwrol – *military boss*
bwrlwm – *bustle*
bwrw ymlaen – *to go ahead*
byddin – *army*
bygythiad – *menace, threat*
byhafia! – *behave!*

cadarn – *firm*
cael carchar – *to be imprisoned*
cael dau ben llinyn ynghyd – *to make ends meet (literally: to get two threads together)*
cael gwared â – *to get rid of*
cannwyll (canhwyllau) – *candle(s)*
cefnogwr (cefnogwyr) – *supporter(s)*
cegid – *hemlock*
ceidwad – *keeper*
ceiliog dandi – *dandy-cock (fig. a fop)*
cell – *prison cell*
cenfigennus – *jealous*
Cenhedloedd Unedig – *United Nations*
cerflun – *statue*
cipio – *to snatch*
cleddyf – *sword*
clustffonau – *headphones*

clustogau i gadw pinnau – *pin cushions*
cnocell y coed – *woodpecker*
corgimwch (corgimychiaid) – *prawn(s)*
corwynt – *whirlwind*
craith (creithiau) – *scar(s)*
creithiog – *scarred*
crib – *comb*
crwydro – *to roam*
crynu – *to shake, to tremble*
cwsg y meirw – *a very good night's sleep (literally: the sleep of the dead)*
cyfansoddwr – *composer*
cyfarch – *to greet*
cyfarwydd – *familiar*
cyfeillgar – *friendly*
cyflawni – *to achieve*
cyfreithiwr (cyfreithwyr) – *lawyer(s)*
cyfrinach – *secret*
cyffwrdd – *to touch*
Cymraeg amdani – *to go for it by learning Welsh*
cymryd trueni – *to take pity*
cyn-berchennog – *previous owner*
cynhadledd – *conference*
cysgod(ion) – *shadow(s)*
cysuro (fy nghysuro) – *to comfort (me)*
cywilydd – *shame*

chwilfrydig – *curious*
chwithig – *awkward*
chwyn – *weeds*

degawd(au) – *decade(s)*
dewis gyrfa (fy newis gyrfa) – *(my) chosen career*
dewrder – *bravery*
dial – *revenge, to take revenge*
diamynedd – *impatient*
dieithryn – *stranger*
difaru – *to regret*
difrod – *damage*
di-lol – *without fuss*
dim siw na miw – *not a peep*
dinasyddiaeth ddeuol – *dual citizenship*
dinistrio – *to destroy*
dirgel – *mysterious, secretive*
disgleirio – *to shine*
diwerth – *worthless*
drygioni – *mischief*
drysu – *to be confused*
dwrn – *fist*
dwyreiniol – *eastern*
dylyfu gên – *to yawn*

ddim yn ddrwg i gyd – *not all bad*

Efrog Newydd – *New York*
ei cholli hi – *to lose it (the mind)*
ei geg fel cesail camel – *his mouth was very dry (literally: his mouth was like a camel's armpit)*
ei geg fel llawr caets bwji – *his mouth was very dry (literally: his mouth was like the floor of a budgie's cage)*
Eidalaidd – *Italian*
erw – *acre*
esgeulustod – *neglect*
esgus – *to pretend*
estyn – *to offer, to extend*
etifeddu – *to inherit*
euog – *guilty*

fel cath i gythraul – *like a bat out of hell (literally: cat)*
fel ceiliog ar ben domen – *like the*

king of the world (literally: like a cockerel on top of a pile)
fel ci drain – *idiom. a womanizer (literally: like a dog who lives in the hedge)*
fel tân gwyllt – *like wildfire (literally: a bonfire)*

ffacbys – *chickpeas*
fflachio – *to flash*
ffrwydro – *to rage, to explode*

gafael yn – *to take hold of*
garsiwn – *garrison*
glanio – *to land*
gliniadur (fy ngliniadur) – *(my) laptop*
gog – *cuckoo*
goleuo – *to light up*
golygus – *handsome*
gorchudd – *cover*
gorchymyn – *command, order*
gor-ddweud – *to exaggerate*
goriad(au) – *key(s)*
goroesi – *to overcome, to survive*
gwallgof – *mad*
gwarchodwr (gwarchodwyr) – *guard(s)*
gweddill – *the rest*
gwefr – *thrill*
gwenwyn – *poison*
gwenwynig – *poisonous*
gwireddu – *to realise*
gwirio – *to check*
gwn (gynnau) – *gun(s)*
gwyddonydd (gwyddonwyr) – *scientist(s)*
gwywo – *to wilt*

haerllug – *bold, brazen*
heb emosiwn – *emotionless*
hel achau – *to genealogize*
helfa drysor – *treasure hunt*
hen sguthan – *old witch (literally: old woodpigeon)*
heneiddio – *to grow old*
her(iau) – *challenge(s)*
hisio – *to hiss*
hud – *magic*
hudo – *to charm, to entice*
hwyliau drwg – *bad mood*
hwyliog – *happy, spirited*
hylif – *liquid*

i fyw ei llygaid – *right into her eyes*
i'r brig – *to the top*

llawdriniaeth – *surgical operation*
llawes – *sleeve*
llawn edmygedd – *full of admiration*
llechen – *slate*
Llen Haearn – *Iron Curtain*
llongwr – *sailor*
llond llwy – *mouthful*
llwgrwobrwyo – *to bribe*
llwm – *bare*
llychlyd – *dusty*
llyncodd Meurig ei boer – *Meurig gulped*
llythyren (llythrennau) – *letter(s)*

Mae arnat ti i mi – *you owe me*
mam yng nghyfraith – *mother in law*
man mwya deheuol – *the most southerly point*
marshmalws – *marshmallows*
mewn dim – *in no time*
modfedd(i) – *inch(es)*
moesol – *moral*

mwy na'r byd i gyd yn grwn – *more than anything (literally: more than the whole round world)*
mynd o'i le – *to go wrong*
mynnu – *to insist*

nai – *nephew*
nant – *stream*
nenfwd – *ceiling*
newyddiadurwr (newyddiadurwyr) – *journalist(s)*
newynog – *hungry, starving*

ochneidio – *to sigh*
oedi – *to delay*
o'i gorun i'w sawdl – *from head to toe (literally: from the top of his head to his heel)*
orenfa – *orangery*

paid â malu cachu – *don't talk rubbish (literally: to grind excrement)*
palu – *to dig*
parchu – *to respect*
Peirianneg – *Engineering*
pelydryn (pelydrau) – *ray(s)*
pen mawr – *hangover (literally: large head)*
pencadlys – *headquarters*
pentwr – *pile*
persawr – *perfume*
pistyllio bwrw glaw – *to pour with rain*
Plaid Sosialaidd – *Socialist Party*
planhigyn (planhigion) – *plant(s)*
pledio – *to plead*
plentyndod – *childhood*
pluen (plu) – *feather(s)*
poeri – *to spit*
pothell(i) – *blister(s)*
problemau ymddygiad – *behavioural problems*
pry blin – *an angry fly*

rhaw – *spade*
rhewi – *to freeze*
rhithiol – *virtual*
rhofio – *to shovel*
rhoi'r gorau iddi – *to give up*
rhwbio – *to rub*
rhwystredig – *frustrated*
rhybudd – *warning*
rhybuddio – *to warn*
rhyddhad – *relief*
rhyddid – *freedom*

sain – *volume*
sawdl (sodlau) – *heel(s)*
sbia budr wyt ti! – *look how dirty you are!*
sgil(iau) – *skill(s)*
sgleinio – *to shine*
sgleiniog – *shiny*
sgrechian – *to scream*
siafio – *to shave*
sinigaidd – *cynical*
sioe un nos – *one night stand*
siwgr mân – *caster sugar*
sleifio – *to sneak*
stelciwr – *stalker*
suro – *to turn sour*
swyddog – *officer*

tagu – *to choke*
tamaid – *a little bit*
taro'r hoelen ar ei phen – *to hit the nail on its head*
tebygol – *likely*

tennyn (fy nhennyn) – *(my) dog lead*
tipyn o dderyn – *a bit of a lad*
tôn – *tone*
trawiad ar y galon – *heart attack*
trychineb – *disaster, tragedy*
twpsyn – *idiot*
twrch – *mole (animal)*
twyllo – *to deceive*
tymer – *temper*
tynnu coes – *to joke (literally: to pull a leg)*
tynnu sylw – *to distract, to gain someone's attention*
tywallt – *to pour*

wedi cyrraedd pen ei thennyn – *having reached the end of her tether*
wedi ei drechu – *defeated*
wedi'i rewi – *frozen*
weiren bigog – *barbed wire*
werdd – *green (fem.)*

y Cyfnod Clo – *lockdown*
Y Deyrnas Unedig – *United Kingdom*
Y Weddw Lawen – *The Merry Widow*

ychwanegu – *to add*
ymbalfalu – *to fumble about*
ymwelydd – *visitor*
yn annisgwyl – *unexpectedly*
yn ara' deg – *slowly*
yn bryderus – *worried*
yn dywyll fel bol buwch – *pitch black (literally: as dark as the inside of a cow's belly)*
yn ei hast – *in her haste*
yn fecanyddol – *mechanically, like a machine*
yn feddylgar – *thoughtfully*
yn goeglyd – *sarcastically*
yn ôl yn yr achau – *in your family tree (literally: back in the ancestry)*
yn sefyll yn stond – *standing very still*
yn wên o glust i glust – *grinning from ear to ear*
ysbïo – *to spy*
ysbïwr (ysbïwyr) – *spy (spies)*
ysbryd – *spirit*
ysu – *to itch (to do something)*